梨うまい

悔しみノート

祥伝社

はじめに

　できればこの前書きで何も言い訳をしたくないんだ。

　こんなの何になるんだとか、しょうもないとか、恥ずかしいとか。そらこれだけ個人的な「悔しみ」を書き散らして人様に晒すのは恥ずかしいんだけど、もう本にすることに決めたんだから。

　もちろんはじめはそんなつもりはなかった。うーん、たぶん。

　ラジオ番組『ジェーン・スー　生活は踊る』のお悩み相談コーナーにメールを出したのも、恥ずかしくて情けなくて誰にも言えないけれど抱えきれない思いを、誰かに受け止めてほしかったからだ。かといって反応が欲しかったわけじゃなくって、「誰かが目にしてくれたかも」、と思えるだけでよかった。あわよくば無反応を無言の肯定として受け取って、慰めにしたい。我ながら引くほど卑怯な考えだけど、とにかくそういう魂胆でメールを出したと記憶している。

　"私は何をどうしたらいいか分からず悩んでいます。

　芸術系の大学に進学し、卒業後もフリーで活動していましたが自分の出来に満足できず、どんどん自己嫌悪に陥り心身ともに調子を崩してしまいました。

　実家へ半強制的に戻って、現在は順調に健康を取り戻し、本屋さんでアルバイトをしています。しかし同時にいい映画を観たり、い

い本を読んだりしては、こういうことがしたかったのにと悶え、でも物作り地獄に耐えられず逃げ出した自分にはもう何もできないと落ち込む日々を過ごしています。こんなに自分のことが嫌いなのに就活して自己 PR が出来るとも思えません。

　気休めでもいいからこういうの向いてるよーとか誰かに言ってほしい。ハ───。"

　一体全体どうしてこれが採用されてしまったのか分からない。

　"「悔しみノート」ってのを作ったらどうかな。今日から観たエンターテインメントで悔しかったやつ全部ノートに書くの。
　そりゃ 22 歳で大学出てそのあとフリーでやっていきなりうまくいくわけないよ！ とりあえず「悔しみノート」の作成を命じる！"

　海に流したボトルメールが、返事と一緒にお届け物ーすって即日郵送で戻ってきたみたいに面食らい、恥ずかしくてどうにかなりそうだった。恥ずかしいついでにやっちまえ、とアドバイス通りに一年間悔しみを綴り、できあがったのがこのノートです、ええ。

　出版の話をいただいて後日スーさんにお会いしたとき、私は後押

しをしてくださった御礼を申し上げると共に、「死ななくて良かった」と言った。

　あれはいい身体の感覚だった。心の底から本気で思っている言葉が口から出るというのは、実は日常生きててそうそうあることではないと思う。散々ノートに本心を書きなぐったから、ボトッと本音が出るようになったのかもしれない。（ポロッと、とは明らかに違う質感）

　昼間、『アクト・オブ・キリング』を観た。インドネシアの9・30事件、その大虐殺を実行した人々が当時を再現し演じてみせるドキュメンタリー。『ゴッドファーザー』よりよっぽどえげつなかった。男が嘔吐する音が耳から離れない。はじめは笑みさえ浮かべて殺し方を説明していたのに。そこにあるのは知ってるけれど、覗きこまないようにしていた洞穴をつぶさに観察してしまったせいで、男の全身が拒絶反応で引き攣っていた。

　彼はこの苦しみを分かってたまるかと思うだろうし、殺人と挫折じゃ比べ物にならんのは確かなんだけど、心の治りきらないところを掘り出して、あふれ出した負の記憶と感情の濁流に飲まれる恐ろしさは分かってしまう気がする。

苦しむ男の姿をぼけーっと口を開けて見ながら、「悔しみノート」を書き始めた頃の感覚を生々しく思い出してしまった。おえぇ。

　死ななくて良かった。おえぇ、からそこまでどうやってたどり着いたんだか、流れ着いたんだか、このノートはその記録としての価値くらいはあるかもしれない。
　主に私のために出版するエゴを、業と思って飲み込もうとしている今であります。

　思わぬ方向へ舵を切らせてくれたジェーン・スーさんはじめ、出版にいたるまで背中を押してくださった全ての方々へ、心の奥底からの感謝を申し上げ、一旦締めさせていただきます。

　じゃあみんな、がんばってよんでね。

『アクト・オブ・キリング』（2012年製作／監督：ジョシュア・オッペンハイマー／デンマーク・ノルウェー・イギリス・インドネシア合作

はじめに	2
満足そうな顔が憎い	11
『フロリダ・プロジェクト 真夏の魔法』	13
『天才はあきらめた』	16
『やっぱり猫が好き』	17
『流星の絆』	18
『あん』	19
『君の名前で僕を呼んで』	22
『ナナメの夕暮れ』	25
『ハウルの動く城』	27
逃げ出した場所	28
『ボヘミアン・ラプソディ』	31
『ムラサキ』	33
『ロミオとジュリエット』クドカンver.	35
『獣になれない私たち』	37
『ワンダー 君は太陽』	39
『ベイビー・ドライバー』	42
『ライ麦畑の反逆児／ ひとりぼっちのサリンジャー』	44
『チョコレートドーナツ』	46

『百円の恋』　49

CMにもムカつく　50

『グレイテスト・ショーマン』　53

『POP VIRUS』　56

そっち側　59

『シング・ストリート 未来へのうた』　61

『検察側の罪人』　63

『彼らが本気で編むときは、』　64

『女王陛下のお気に入り』　65

「女子と女子」　66

『アゲイン!!』　67

『カメラを止めるな!』　68

『8月の家族たち』　70

店長　71

『シェフ 三ツ星フードトラック
始めました』　73

『三の兆候』　75

『チャンネルはそのまま!』　77

沖田修一監督　79

『生理ちゃん』と『パッドマン』　81

劇団雌猫	83
蒼井優	85
『架空OL日記』	86
『くせのうた』	88
『女に生まれてモヤってる！』	91
『メタモルフォーゼの縁側』	94
以下、自意識の暴走	96
中退コンプレックス	98
『腐女子のつづ井さん』	101
『凪のお暇』	103
『邦キチ！映子さん』と、『MONSTERZ モンスターズ』	105
『SEX AND THE CITY』	107
『バレエボーイズ』	113
『ウドウロク』	114
『アイ・フィール・プリティ！人生最高のハプニング』	117
『俺の話は長い』	121
『逃げるは恥だが役に立つ』	124
流行りにのれない	128

『セッション』 131

M-1 134

ケンドリック・ラマー 137

上京 140

『さびしすぎて
レズ風俗に行きましたレポ』 142

振り返ると 144

『コタキ兄弟と四苦八苦』 146

『BLUE GIANT SUPREME』 148

2回目の打ち合わせ 151

『レディ・バード』 154

寺山修司 157

『エデンの東』 158

アンミカは良い奴だから 160

キムタクと日曜劇場 163

『談春 古往今来』 165

身から出た錆 169

志村うしろ 171

最後に 175

おわりに　やっぱなしで 179

満足そうな顔が憎い

すごくすごくすごくすごくつまらん芝居を観てきた。

そら 特に専門的な訓練も受けていない、高校の部活で演劇やって
夢中になっちゃっただけの大学生の自主制作なんだから 当たり前なんだけど。

野田秀樹のホンをそのままやって、せっまいとこで。(まんぞするのはイケない、借りモンだから)
「めちゃめちゃレベル高い」みたいなこと言われてたから 全くの無関係者
なのに観に行って、めっちゃめちゃに腹を立てて帰ってきた。暗すぎて。

その台詞のイミ、分かってないよね？その距離で言うの正しい？考えてないよね？
だけど バカ受けだよ、客席身内まみれっつか身内99%だもん、
野田秀樹 のホンをよくもまあそんな棒立ちで出来るね！？

しかしまあ、カーテンコールでの満足そうなお顔よ。
ついぞ私は 舞台上でそんな顔をすることなく終わったよ。
(終わっ……… たのかしら)(終われてれる 死にてえ)

はァーー!!憎い!!!
　そんな下手くそなのに、そんな満足そうで 憎い

楽しいとこだけやって、楽しいまんまで 終われていいよな。

準決勝で負けるより 1回戦ぐらいで負ける方が楽せだよ
甲子園が見えてくると呪われるよ 一生
砂持って帰らねえ限り、ずっと呪われたまんまだよ

ホントみんな、どうしてんの？マジで。

『フロリダ・プロジェクト 真夏の魔法』

「病院で払うお金が高すぎる。年寄りをいじめとんだ、政府は。年金暮らしのジジイから金をとる。けしからん。腐っとる」

　バイトの時、レジで10分くらいこのループを聞かされた。「あんたらは給料ええんでしょ？　払ってくれよ〜」って。マジで言ってんのかなー。私、月の手取り10万だけど？　あなたみたいに暇つぶしの本をぽんと買う余裕すら無いけど？

　『わたしは、ダニエル・ブレイク』を思い出した。ケン・ローチ監督の社会派映画。援助システムのグレーゾーンで身動きの取れない貧困にあえぐ人々の話。この映画を観た人の9割以上が、フードバンクであまりの空腹に耐えられず、子供そっちのけで缶詰を食べだす母親のシーンに心抉られると思う。ダントツこのシーン。理性とか倫理とか言ってらんない。貧困は、どうしようもなく食べて、寝て、排泄しなきゃいけない"生き物としての人間"をむき出しにさせて、尊厳を奪うんだよな。

　私の1時間、時々暴言を吐かれ、無視され、セクハラされ、消費されて950円。『灯火』でコンビニ店員の山田真歩がクソ客のホットスナックに、隠れて唾を吐くシーンがあるのね。あれチョー分かる。そのまま渡すし。やってみたい。

「なんで私今、踏みにじられてんの？」っていう怒りも、だんだん「私は踏みにじられて当然の人間なんだ」になっていくんだよ、人間てのは……もがくこともやめちゃうんだ。その閉塞感に捉われてしまったのを見て、人は平気で「努力が足りない」って言うんだよ？

　さァて、貧困を描いた映画で一番インスタ映えするのが『フロリダ・プロジェクト』だ。iPhoneで撮影しちゃったり、主要な役にインスタグラマーを抜擢したりっつーね。フッざけんなよ、なんで素人でこんな上手いんだよ。絶望だわ。ジャケ写ご覧になりました？イ・ン・ス・タ〜〜〜映えてる〜〜〜。なのにこの映画はエグいぞ。どうしたらいいのか分かんなくて落ち込むぞ。

　食い逃げ前提でホテルの朝食ビュッフェに入って、楽しそうに食ってる悪ガキ・ムーニー。向かいで見てる、母・ヘイリーのあの、ベタァっとした表情。停止と言うか、滞留？　停留か。もうどこへも行けない。

自己責任か？ ホントに？
夢見ちゃいけませんでしたか。っほー

　国民年金払うので精一杯な私に、年金暮らしの不満言ってくるおじいさんに対して、ムカついてはいけませんかね。怒る対象、矛先

が見当違いですかね。コンタクトがもうすぐなくなっちゃう。でも保険証ないから病院行けないわー。救いをくれよとクダを巻くことぐらい許して……え、おじいさんもそういう気持ちでしたか？

　円環〜〜〜〜〜

『フロリダ・プロジェクト 真夏の魔法』2017 年製作／監督：ショーン・ベイカー／アメリカ
『わたしは、ダニエル・ブレイク』2016 年製作／監督：ケン・ローチ／イギリス・フランス・ベルギー合作
『灯火』2012 年製作／監督：池松壮亮／日本

『天才はあきらめた』

　ノーガードで書けねえ。私これノーガードで書けてねえ。最終的にTBSラジオに送りつける前提で書いているからか、もう守って守って守ってるよね。分かってるんだ。オレはいつもどっちつかずだ。そんなことないよって言ってもらいたい。

　何を読んだかってぇと、山里パイセンの『天才はあきらめた』。全部さらけ出せるってさ、最強だと思うワケ。なんか全体的に「それであなたは成功してらっしゃるワケですから」という、この、壁————ッ||||感じちゃった。なんだろう、圧倒的に努力の人じゃん、山ちゃんって。ワイプでもいつでもしっかりコメントするしサァ。やる気あんのかよテメェ、みたいな番宣俳優のクソみたいなコメントも笑いにつなげてくれるじゃん。みんなダマっちゃうような場面でしっかり拾うじゃん。リベロじゃん。

　結構なクズエピソード、人としてアウトエピソードがあっても本物のクズじゃん？ってなりきらんのだ、なんか結局いい感じにまとまってたし……うん……妬んで終わった。妬ましい、山里。"人に出会う才能があった"というのも妬ましい。さらけ出して、それが良しとされる世界に、もういるんだな山里は……彼がさらけ出したからこそ手に入れた世界だ……

　　　　　　　オレはもう死にたいよ山里

『天才はあきらめた』山里亮太（朝日文庫）

『やっぱり猫が好き』

　無限に観ていられるドラマ No.1（ドラマなのか？）。学生のときにああいうのやりたい、と思ってオマージュ作品を書いてみたけどついぞ仲間を見つけられずに終わったし、かといって一人でやり遂げる力もなかった。勇気が、自信が。見返すとしょげた気持ちになるのに結局ヘラヘラ笑ってしまうんだな、ほんとにまぁ。

　面白れぇんだホントに。なんだろうな、腹立つ身内感と笑えるホーム感があるじゃん、この違いなんなんだろうな。私、今をときめく福田雄一監督の作品「好きでしょ？」ってよく言われるけど絶妙に合わないんだよ。アドリブ多め、失敗してもオッケーなのは同じなのに。まぁ尺もちげぇし。うん。単なる好き嫌いと言えばそれまでか。

　小劇場の居心地が悪いのとはまた違う話ですかね。ケッ、馴れ合いやがって。というのは何を基準に感じるものなのか。私はそこにいられなかった。あー、ぐちゃぐちゃになってきた。疲れたな。とにかくボーッとしたい。いや、したくない。
　全部なぎ倒せるだけの実力が欲しい。面白いものはこんなに沢山あるのに。あー面白かったって再生停止ボタンを押してから、自分が客席側にいることに今更気づいて落ち込んでいる。

『やっぱり猫が好き』（フジテレビ）

『流星の絆』

　ドラマやってたの中２の時だよコレ！　当時録画してたのが出てきて、ちょっと懐かしく見返してたら全話観ちまった。
　クドカンってなんでこんな上手いの？　全部面白いじゃん。
『タイガー＆ドラゴン』『IWGP』『木更津キャッツアイ』『あまちゃん』『ゆとりですがなにか』やだ、どんだけ観とんねん。『ごめんね青春！』もあったね。単発ドラマで言えば、『ガンジス河でバタフライ』もそうだね。

　はァーこんな第一話から最終話まで最高なドラマある？　あとはもう野木亜紀子の『アンナチュラル』ぐらいだね。
　原作のテイストと全然違うけど怒られないんか？　劇中劇が炸裂しまくってすげぇ笑えるんだけど、重いシーンはズシッと来る。来るねーハヤシライス食べたい。

　放送当時は毎週友達とこのドラマの話してた。犯人誰かな、どうなるかな、って。幸せだったなー。10年経った今観ても面白いってスゴいよ。なんかチョロッとムロツヨシ出てるし。
　どうやって作んのかな、クドカンは。どうやってます？
　好きなこといっぱいやってズルいぞ。
　あ、急に元気なくなってきた。ヤバい。寝よう。

『流星の絆』脚本：宮藤官九郎（TBS）

『あん』

　遠路はるばる、自転車を2時間近く漕いで知らない街までやってきたのに、結局またコメダに入ってしまった。本当は気になっていた本屋まで行って、その隣にあるという喫茶店に入ろうと思っていたのに。道中で小雨が降り出して心が折れちまった。もうとりあえず喫茶店に入ろうとGoogleマップで調べ、せめてチェーン店でないところを探した。探したんだけどもことごとく入りづらい。小心者が露呈。

　本当は雰囲気の良い薄暗い純喫茶に澄ました顔で入っていきたい。でも中の様子が全然分からなくって、外のメニュー看板も出ていないところへ一人で入るのが怖い。机を独占できて、コーヒー一杯でそれなりにゆっくりして良い、あと煙草臭くなくって、やたらマスターと話し込む客のいないところがいい。その結果がこれ。まぁ珍しくかしましいおばあちゃん集団もおらず、分煙もきちんとされているタイプだったのでそこは良かった。

　今ふとGoogle天気予報を見たら、夕方まで降水確率90%になっていた。ふざけんなよ。朝見たときは22時まで曇りだったじゃねーか。天気予報の後出しはずるい。修正するにしても一言入れて欲しい。それだけで印象がだいぶ違う。あとあのカエルのキャラはやめ

て欲しい。きもい。今日はもう多分、ことごとく上手くいかない日だ。一人で過ごすのは好きだけど、時々、自分の気持ちにぴったりの方向へ進めず、二択を間違え続けるような日がある。あーあ。もう抗わずにコメダで過ごそう。

　こういうの、樹木希林は絶対間違えねぇんだろうな、と思う。知らない街でもスッと居場所を作ってしまえる人だと思っている、勝手に。うちの本屋に山ほど彼女に関する本が並んでいるのを見ると、複雑な気持ちになる。あずかり知らぬところで本が出るのは、不本意なんじゃないだろうか、と。でももし本当に嫌だったとしても、粋なぼやきを一言、二言、つぶやくだけで、みんな「まぁ、いっか」と納得させちゃうんだろうなとも思う。

『万引き家族』は観てない。嫉妬で死にそうになる気がするから。松岡茉優を避けている。あと是枝監督には腹を立てているという節もある。だってなんか上手いじゃん。ともかく、『あん』が好きだ。心底恐ろしいな、というほど樹木希林を堪能できるし、市原悦子も出てるし、それなりに明るい。どら焼きが食べたい。ギリギリ、これたぶん、樹木希林じゃなかったら成立しなかったな、と思うからこそ、河瀬直美監督がうらやましくてん————ってなる。これ

映画館で2回観たよ。

　亡くなったから、テレビでやってたんだ。『人生フルーツ』もやって
た。いい映画よね。亡くなったのか、実感ない。どうしよう。い
や、どうしようもないんだけど。無関係な自分が悔しい、を通り越
して虚しい。その呼吸を間近で見ながら、芝居をしてみたかった。

樹木希林に出会えた全ての人が妬ましい。

『あん』2015年／監督：河瀬直美／日本・フランス・ドイツ合作

『君の名前で僕を呼んで』

　スタバで水色のＴシャツにオレンジのハーフパンツ、スニーカーというラフでオシャレな出で立ちの外国人が、iPhone をいじりながらコーヒーを嗜んでいやがる。こちとら、今日は 30 度で暑いけどもう 10 月だしなぁ、長袖羽織ってくか、と無理して汗かきながらチャリで来て、フツーのアイスコーヒーを頼めずついかっこつけて店舗限定のコーヒーを頼んだら思ったより冷えてなくて絶妙に残念な気持ちで一杯だというのに。素でオシャレな人間に生まれ直してぇ。

　彼の姿で思い出したのは『君の名前で僕を呼んで』。ファッションがね、とても似ていた。この映画、めちゃめちゃ評判良かったから観たんだけど、私は「エロいな————」以外、特に何も思わなかった。ギリシャ神話（？）の知識があればもうちょい面白がれたんか？　ただこのファッションとか、映像美とか、音響とか、撮ってて楽しかっただろうな。マジで趣味全開感があるもん。

　ティモシー・シャラメ。バカスカ売れとるやんけ。ウディ・アレンにグレタ・ガーウィグ、ウェス・アンダーソン？　ホァ——？　実力派の売れ方。ちょっと調べただけで嫌になってきたぞ。こういうのってマネージャーの腕が良いってことなの？

僕はセンシティブな美しさの表現に定評のある俳優だとグザヴィ
エ・ドラン推しですよ。エロさで言えば、『トム・アット・ザ・ファー
ム』のがエロかったね。何の話だよ。綺麗でオシャレでそれっぽい
ものに憧れつつも見下している自分がいる。

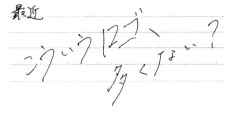

　手書きの、シャシャってしたヤツ。自意識レーダーに引っかかっ
て手を出せないんだ。純粋にオシャレ〜って手の伸ばせる人間であ
りたいさ、せめて。しんどいんだよ、スタバでカッコつけきれずに
凹んでるの、しんどいんだ。他人にも物にも求めすぎているのはわ
かっているんだ。だけど、『君の名前で〜』を観て星５つけられな
いんですわ。綺麗、美しい、切ない、儚い……うーん、も少し厚み
をくれ。

　高評価のレビューに問いたいもん、本当にそう思った？　オシャ
レに流されていませんか？　耽美な美少年と青年の禁断の愛……
で？　それ以外に何かあった？　教えてくれ。ラストシーンで語り

すぎなんだよ。ずるいだろ。デウスエクスマキナ？

　手軽なオシャレ、怖いわ（嫌な言い方してごめん）。落っこちて迷子になる。さして盛り上がんなかった舞台の二回目のカーテンコールぐらいの怖さあるわ。消費するだけの楽しみ方、したくないし。提供する方が悪いとすら思っちゃう。いや、まあしてもいいのかもしれんけど、消費される側が絶対大丈夫な安心感がほしいよね。同意の上ですか？って心配になってしまう。

　そこに何の罪悪感も抱かなくなるには素でオシャレになるしかない。今世ではもう無理な話だ。

　せめて歳をとってから出会おう、ティモシー・シャラメ。

『君の名前で僕を呼んで』2017 年製作／監督：ルカ・グァダニーノ／イタリア・フランス・ブラジル・アメリカ合作

『ナナメの夕暮れ』

　若林は自意識過剰根暗野郎の代弁者だ。JDサリンジャー並みに、この誰にも言えないような怒りと生きづらさを言葉にしてくれる。自意識過剰村の出世頭、あれがオレたちの誇りだぜ！ という気持ちでいたところにコレだ。『ナナメの夕暮れ』。終わりを迎えようとしている、待て待て、待ってくれよぅ。

　エッセイを読んでいると、自分がこれまで「なぜか受け入れられない」「なぜか怒りを感じる」出来事が自意識過剰によるものだったのか、と納得する。大学の卒業式に出席しなかったのもソレによるものだし、代わりに出席した従姉妹の結婚式でトイレに閉じこもっていたのも同じ理由、原因。全く趣味じゃないドレスを着ている自分も許せなかったし、ほとんど知らない親戚に酌をする兄の姿にも腹が立った。良かったぁ、若林もそうなんだぁ。母に「普通にしてればいいのに」と言われ絶望していたけど、胸のうちにひっそりと同志の若林の存在を忍ばせておくことでかなり救われた。

　若林は歳を重ね、体力が落ち、自意識過剰が寛解してきたらしい。ずるいじゃないか、ずりぃよぉ、置いてかないでくれよぉ。毎度毎度、ちょっとカッコよく締めてんじゃないよ。寂しい。
　「40歳になったら楽になるよ」とは、確かに高校生の時、保健室

の先生に言われた。若林の言ってることも、本当にそうなんだろうなぁと思う。でも、それなら今のうちにこの怒りを作品にぶつけておかないと、と焦っている。黙ったまま手放すなんて勿体ない。だってこれまでの若林のエッセイ、面白かったもん。うわ———。

　娘を嫁に出す気分だ。良かったね、幸せになってね若林。いや、刑期を終えた服役者を見送る看守の方がしっくりくる。

あばよ、若林。

『ナナメの夕暮れ』若林正恭（文藝春秋）

『ハウルの動く城』

　公開当時、小4だった私は荒地の魔女が怖すぎてそれ以外の記憶がぶっ飛んでいた。24にして初めてまともに観たぞ。良いよ！そりゃジブリなんだからいいに決まってるよ。それにしたって倍賞千恵子の声が良すぎんか??

　良すぎるよなオイ。もし私が死刑になったとしたら、「最後に言っておきたいことは？」とか「安心して、あなたの魂は天に届いてすぐ安らかになるわ」とか言ってくれる役割の人を倍賞千恵子にお願いしたい。合成でもいいからあの声がいい。

　幾重にも味のある声だなぁ。
　そういう深みのある音が合うよねぇジブリ。
　薄っぺらな声の俳優ばっかだよ最近は、ちくしょう。
　見た目はいいかもしれんが、全然魅力のない声だよ。
　みんな気づけよ、人間性は声に出るだろ。

　あーあ！評価されたい

『ハウルの動く城』2004年製作／監督：宮崎駿／日本

逃げ出した場所

　悔しさのあまり観ていられなくなるのが、メイキング映像。一人の時は観るのやめちゃう。家族がいると強がって観るけど。稽古と似た空気があるから、思い出す。私、なんであそこから出てきちゃったんだろう。

　初めてインプロ（即興演劇）した時のこと、すげぇ覚えてる。生まれてきた中で一番自由でスリリングで面白かった。

　父が風呂場で手鼻をかんでいる。許せない。

　頭も身体もマックスまで使えるのが嬉しかったし、蜷川幸雄の舞台を観た時なんか、自分病気なんじゃないかってくらい夢中になった。“こんなことやっていいのか”って。自分の激しさや敏感さはこのために生まれ持ってきたのかと。嬉しかったぁ、嬉しかったなぁ。

　日芸に入るとそんな奴ばっかなんだろうと思っていたのに、そうでもなかった。みんな、大学生らしく飲めない酒を飲んだり、自主休講したり、くそつまんねー行事に集団で属して打ち込んでいた。そんな暇と金があったら、芝居を作れよと稽古しろよとムカついて仕方なかった。

先生に評価されるのは私だった。でも自主公演に呼ばれるのは、ろくに学校に来ないで先輩と遊んでいる奴。演技は下手だ。完全なる感情芝居。卒業公演はそいつに乗っ取られることは目に見えていた。だから出なかった。貯めたお金で公演を打った。満員御礼、好評に終わったけど、同期は全然来なかった。これまで何回、お前らの芝居のチケット買ったと思ってるんだ。

「自分より頭のいい俳優に入られると、厄介なんだよね」って演出コースの奴に言われた。最悪。「先生に気に入られてていいよね」救いようのないバカ。
　絶対にすごくなきゃいけない。本当に良いものを作れば、誰も文句を言わない。

　私と手を繋いでくれた数少ない仲間がいた。二人。勝手に作り出したプレッシャーを二人にぶつけては反省した。今思うと本当に情けない。あの二人は私を認めてくれていたのに、私はどんどん自分を嫌いになっていった。
　ブスだからせめて痩せてないと。そう思って始めたダイエットがおかしくなっていった。摂食障害の知識はあった。マズイことになっているのは分かっていたけど、ひとには言えなかった。一日のうち

にできることが減っていった。バイトから帰るために自転車漕ぐの
も、体力が尽きていてすごくしんどかった。部屋にバケツを置いて
吐きながらテレビを観ていたとき、もう無理だなと思った。
「死んでもこの舞台を成功させる」と豪語していたけど、死ねなかっ
た。お母さんに電話した。

　一方的に二人との連絡を絶った。彼らに公演ができるだけのお金
を勝手に振り込んで、降りた。酒を飲んで稽古をすっぽかすよりひ
どい。もう合わせる顔もない。

　最近ようやく、自分があの時どれだけおかしくなっていたのか分
かってきた。こうして生きていて、ご飯も食べられるようになって
良かったなと思うし、逃げ出したのも仕方ないことだったと捉えら
れるようになってきた。でもやっぱり、戻りたいと思う。本当にど
うしようもない。メイキング映像に映る俳優もスタッフも羨ましい。
いつまでも執着する自分が恥ずかしくて、見ていられない。

「🎵 ボヘミアン・ラプソディ」

　盛り上がりすぎてタイトル書きまちがえたわ。なんっっっっっっっだ、この映画、映画？　ライブじゃん。

　ライブエイドの映像だけでクイーンは最高だよ〜〜〜って分かっちゃう納得しちゃう。楽曲も全然知らんかったのに、めちゃんこ好きになっとる。なんだこれ、大好きじゃん。すげぇ泣いたけど正直、何に泣いとるのか分からん。

　"クイーンのライブに泣いてる"ってのが一番適当な気がする。そら、フレディの孤独や葛藤、クイーン自体の紆余曲折を観たさ。観たけれどもさ。そんなことを知らんでもあれは泣いてしまうと思うのさ。えぇ？　そうだろうよ。

　映画館で座って観てるイミが分からなかった。なぜ？　私は？今？　座っている？？？　立たなきゃ！（立たんかったけど）

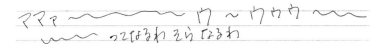

　ママァ 〜 ウ 〜 ウウウ 〜
　　　　〜 ってなるわ　そら　なるわ

『ジャージー・ボーイズ』『ドリームガールズ』『ブルーに生まれついて』とか、実在したスターの人生を描いた作品いっぱいあるけど大抵しんどいやん。これはうまい具合に脚色されてて丁度良かった

わ。はー丁度良かったわ。もっかい観に行こ。

　良い仲間、理解者に飢えていると思う、社会の皆様。
　君は愛されていたんだね、フレディ。
　心底羨ましいよ。

『ボヘミアン・ラプソディ』2018 年製作／監督：ブライアン・シンガー／イギリス・アメリカ合作

『ムラサキ』

　コンテンポラリーダンスの漫画、推してたんだけど、うちの店では超売れねぇ。ギャグの癖が強いからか。もっと売らせろ。

　身体、エネルギー、内側に宿るものの発露、共鳴。芸術に救われる感覚。すげぇ良く描かれてると思うんだけど。同じ点で言えば『ブルー・ピリオド』はメッチャ売れてんだよな。『ムラサキ』は出てくるキャラがことごとく変態だからいかんのですか？
　感覚的すぎてウンチク的面白みが少なく不親切？　ギャグ面白いんだけどな〜、画の迫力もあるし。あと、とにかくこの作者はコンテに出会った時、こんな風に感動したんだなっつーのが、よぉ——く分かる。

　コンテ！　観よう！　踊ろう！　この漫画がもっと売れればコンテ人口が増えるのに。なに、どこが頑張るべきなの？　文化庁？
　体育の創作ダンスもヒップホップに場所奪われちゃってさ。コンテンポラリーダンスなんか存在すら知られとらんやろ。米津の後ろで踊っとるのぐらいか、欅坂もカウントに入れますか？　私はイヤです。基礎がないものは嫌いです。頑張ってんのは分かるけど、まず筋肉つけようぜ。
　そうかこの心の狭さが市場を狭めとるんか。チクショウ。私

の目に入る時点ですでに漫画としては売れとるんやろうけども、ズァッッッと売れてほしい、売りたい、売れろよ。

　舞台の上で身体をコントロールする楽しさが 蘇 ってくる。会話できる喜びとか確かにあるんだもん。もう一回触れたいなぁ、あの感覚。

『ムラサキ』厳男子（LINE コミックス）

『ロミオとジュリエット』クドカン ver.

　くだらねぇ、くだらねぇと思って笑っていたのにちゃんと『ロミジュリ』してたわ。つくづくクドカンって奴は。

　ロミオが三宅弘城という時点で、まぁお察しみたいなとこあるけど、それ以前に客入れの BGM がことごとく QUEEN で笑えた。いやまぁイギリスだけども!!　クドカンとはいえシェイクスピアだぞ、という観客のちょっと気取った気分を見事にぶち壊してくれたな。それを狙ったわけじゃなくて単に『ボヘミアン・ラプソディ』観てハマってるだけなんだろうけど。

　キャラの激しいデフォルメやアドリブコーナー等々「いやもう大人計画じゃん」という気もしないでもなかったけれども、セリフは結構忠実、ちゃんと『ロミジュリ』してた。散々クドカンワールドに笑かされた延長線上でシェイクスピアの台詞にしっかり笑かされてんのね。これはすごい!

　本来のシェイクスピアってそうだったと思うのよ。特に『ロミジュリ』は『夏の夜の夢』ぐらいに笑える。笑っていいシーンばっかりなのに、観客は「私、シェイクスピアのユーモアの分かる文化レベル高い人間ですのよ」的な笑いしかできない、そういうことになりがち。

いやー、いい舞台だったね。ラストはしっかり辛いし、しんどい。『ライフ・イズ・ビューティフル』並みの笑いと悲劇のコントラスト、お見事。

　客席の空気も、帰り道も良かった。

「分かんね之奴はセンス悪い」って空気ゼロでホント良かった
最近そんなんばっかなんだもん

　観てよかった　　ああいうのつくりたい

『ロミオとジュリエット』作：W・シェイクスピア／演出：宮藤官九郎

『獣になれない私たち』

　第一話からもう悔しい。「バカになれたら楽なのにね」この台詞。はい、私も思ってましたー。こんなん言うの恥ずかしいけど"先を越された"感。世間がひそかに求めていた主人公像、ドラマってこれだったんじゃない？　"等身大の主人公"ってこのガッキーじゃん。理性を捨てきれない我々のリアルじゃん。

　それにしても、しんどいしんどい。でもいいな、5tap があって。オアシス欲し───。
　絶対仕事頑張らない松任谷さんが無理すぎてホント観てらんなかったんだけど、逆にやりすぎるのがデフォルトの主人公・晶がうざい、みたいな反応の人もいてマジか───。
　しかし、しんどいのを我慢して観てるとちょっとずつ、どのキャラにも自分が見えはじめる。巧みかよ───。恋に関する共感が全く出来ないのでそのあたりはよく分かんなかったけど。

　どうかな、こんなに他の人の感想聞きたくなるドラマなかなかない。考察とかじゃなくて感想。なんでこんな色んな立場の心情描けるん？　そんで最後にそっとぼんやりとした希望を添えられるん？　はっきりした答えを置いときたくなるし、全く無いままじゃイミがない。

野木さんのバランス感覚がすごいんだ。私にはこんな風に書けないな。書きてぇ。

『獣になれない私たち』脚本：野木亜紀子（日本テレビ）

『ワンダー 君は太陽』

　はいはい、お決まりの感動物語でしょ？って敬遠してましたけど、TSUTAYA のレンタルクーポンにつられて借りて観たよ。毎回「こんな顔でしたっけ？」と思う母親役のジュリア・ロバーツ。なんでやろ。そして父親役はオレたちのオーウェン・ウィルソン。もはや、顔見てるだけでもオモロイ。『ズーランダー』大好きだよ。ほんで主人公は『ルーム』の子役、ジェイコブ・トレンブレイね、第二のマコーレー・カルキンにならないことを祈る。

　全体的にバランスが良かったよね。そう……もうなんや、最近はそうね……。主人公をいじめた児童の母親が放つ「子供には荷が重すぎる」という台詞、もっとシリアスに響いても良かったんじゃない？

　主人公のオギーは、トリーチャーコリンズ症候群で顔が変形している。長らく入退院を繰り返しながら自宅学習をしていたが、新学期を機に学校へ通うことに。懸念していた通り、差別といじめにさらされるオギーだが、彼の行動が徐々に周囲を変えていき……？的なね、話。想像通りのストーリー、結末だけど、天才子役の大奥みたいな感じが楽しかったし、ちょろんちょろんに優しくなくて良かった。あとソーントン・ワイルダーの戯曲『わが町』の劇中劇も。

でも大抵の日本人には分からん。

　こういう作品にはついてまわるね、"感動ポルノ"というディスりフレーズ。じゃあ、救いようのないドシリアスにすれば良かったか？　ちげーよな。それじゃあ、物語になんないもん。

『聲の形』なんかはもう観てるのがしんどいくらいに闇をついてくるけど、障害はきっかけでしかなく、発生しまくる問題、人間関係のエラーは、コミュニケーションや環境によるものだって分かってくる。うーん、そりゃまあ当事者からすりゃ、どんな作品もイヤかもね。「知らないクセに」って。

　私も摂食障害になったから、小説に過食嘔吐してる人が出てきた時は一気にイヤんなったね。「そんな程度の苦しみじゃねーよ」って思った。ネットで分かるレベルの知識しかねえのに描いたなコイツって。小説の材料にしてんじゃねーよと。

　でもしょうがないね。こっちも隠れてんだから。理解されたいなら見せねば。よく見て、慣れていただかなければ。

　ここまでこのきったないルーズリーフへの殴り書きを読んだ方は慣れてきましたか、私の傲慢さに？　なんかしらの仕事を与えていただけるとありがたいです。傲慢ついでに。

「こうであれ」と願って優しく描くことにも意味はあると思う。アンドレアス・エーマン監督の『シンプル・シモン』がオススメ。そういう点では。現実でそんな風に笑えるかよ、というしんどさも、優しい世界を目指す心で笑ってみようかと思える。

　頑張ろうなジャパン。決意を込めた優しさで作ろうな。
『こんな夜更けにバナナかよ』はどうだったんだろう。

『ワンダー 君は太陽』2017年製作／監督：スティーブン・チョボスキー／アメリカ
『聲の形』2016年製作／監督：山田尚子／日本
『シンプル・シモン』2010年製作／監督：アンドレアス・エーマン／スウェーデン

『ベイビー・ドライバー』

　アンタ、絶対映画好きだろ？　冒頭からオマージュ・オマージュ・オマージュ。いや、映画好きだから映画作ってんだろうけどさ。「こういうの観たいなー」ってのを詰め込んだのは分かるよ、伝わる。公開当時はスカした奴らの高評価しか聞こえてこなかったから、観に行かなかった。そういうパターン多いな、私。いい加減にしろよ。

　これはもうミュージカル。エンタメど真ん中。全部のアクションがBGMとシンクロしてたらカッコよくね？って考えた奴はこれまでも死ぬほどいただろうし、ほんのワンシーンくらいなら既にやってると思う（『キングスマン』とか？）けど、ここまで徹底して一体化させた奴はいないだろうな、大成功じゃん。

　こういう方向性で「こんなの観たことない！」って観客を驚かせるの、気持ちいいだろうな。シャレとるしな。特に大きなことを語ろうとしないのもいいな、丁度良く楽しい。売れるとどんどんデカいこと語ろうとしちゃうもん。

　観たあとにサントラ聴きながら主人公気分で街を歩くことまで含めて、この映画の楽しさでしょ。楽しい映画って、いや、なんでもそうか。人にめっちゃ影響与えんじゃん。矢沢永吉のライブのあと

みんな永ちゃんになっちゃうみたいなモンよ。

　いいね〜〜〜〜〜たのしいね〜〜〜〜〜。

　ただ最悪なことに私のイヤホンが壊れた。金欠なのに。間違えて
洗っちゃった。つら。もう "ベイビー" になれない。

家の中で踊ろう。

友だちが欲しい。

『ベイビー・ドライバー』2017 年製作／監督：エドガー・ライト／アメリカ

『ライ麦畑の反逆児／ひとりぼっちのサリンジャー』

　売れたい。これまでごろんごろんに転がってきた人生に意味があったのだと思いたい。そうじゃなきゃやってられっか。ほんとやってらんないんだ、こんなの。今すぐホールデン・コールフィールドになりたい。世界中の共感を集めて誰かの救いになりたい。

　それでようやく自分が救われる。

　JDサリンジャーとは高校生の時に出会った。イライラしながら『ライ麦畑でつまかまえて』を読んで、ラストでボロボロに泣いたのを覚えてる。サリンジャーを山奥へと追い込んだ"ホールデン狂い"のいきすぎたファンと同じ、"これは私のことだ"と思っちゃった。あーあ。なんてフツーな。

　戦場に行く前までのサリンジャーはまるきり自分がディスられているようでしんどかった。思い上がりだ、と。でもサリンジャーはあっちゅーまに師に出会い、認められ、支えられ、世に出たね……。戦中、戦後はわりに、うーん、上手くいかないことの方が目についた。果たして彼の人生は、彼にとって幸せだったのか？

　映画の中ではうまくまとめようとしてるけど、それにしては腑に落ちない。事実だけじゃ分かったモンじゃないさ、他人の人生なん

て。よくよく見なきゃ、シー・モア・グラ―――ス。『バナナフィッシュにうってつけの日』。自殺しなかっただけでも幸福か。人生に整合性なんて求める方がバカだ。あ、なんか今、夏目漱石感あった。『こころ』。

　でも、それでも、求めたい。だからこの映画のエンドには寂しさや物悲しさを抱いた。求めていいよねぇ、だからキャッチャー・イン・ザ・ライになりたいんだもん。それだけなんだもん。
　どうかな、この映画。もっとサリンジャーに寄り添ってほしかった。

『ライ麦畑の反逆児／ひとりぼっちのサリンジャー』2017 年製作／監督：ダニー・ストロング／アメリカ

『チョコレートドーナツ』

　主演のアラン・カミングは、私が幼い頃全編セリフを暗記するほど観た『スパイキッズ』で「フループ」という奇怪なオジサンの役を演じており、その印象しかなかったので正直『チョコレートドーナツ』では、芝居も歌もちゃんとしていて驚いた。

　この映画のラスト、着地のさせ方、お手上げ。拍手喝采。
　こういう強さ、私は好きや。ナイスバランス。ボブ・ディランの『I Shall Be Released』がこうも響くとはね!?　いつの日にかきっと、解放されて自由になる。大きな声で嘆き叫ぶんじゃなくて、じっと耐え、高らかに希望を歌うのね。強!!　こうありたいなチクショー。

　歌える俳優ってやっぱりいいね。ソウルフルで良かった。アンタ、フループとのふり幅どないなっとんねん。
　ホントお前……お前すごいな。

　"哀しみに引きこもらずに、すべてを嘆かずに。苦しみや傷を受けながらも、自分の愛を信じて、必ず放たれる日があると信じることこそが重要だ"と、これを理解していなきゃ絶対できん芝居だったでしょ。
　……スコットランド出身?　また英国か!!　バケモノ大国だな、

この国は。俳優の基礎力が半端ねぇ。

　私も真面目に訓練してきたんだけどな。普段ドラマとか観ても「私の方が上手いな」ってマジで思っちゃってるもんねー。そんなの言ったら、ヤバい奴認定されちゃうから言わんけど。
　でも実は訓練してきたかどうかなんて求められてなかったんだよね。私が求めまくってるだけだった。そう思っても最優先事項から外せなかった。稽古場で焦ってピリピリしてるのは私だけみたいで。扱いづらいと思われてただろうな。暗い感じになっちゃったよ、アラン・カミング。

　とにかくアンタすごいよ。自信失くすようなことがあったら私が励ましてやるよ。
「しっかり人生を考えて生きた俳優だ。顔だけのお子ちゃまセレブとは訳が違うんだ、誇りをもって。スポットライトを浴びるべきだ。皆の励みになる。隠れていたって見つかっちまうよアンタ、光って見えるから」
　ちょっと酒の入った優しき隣人、的なノリで。
「マスター、とびきり美味しいホットドッグを１つ。落ち込んだときはコレを食わなきゃ。おっと、タマネギ平気？　へへ、そりゃ、

良かった。ともかく腹がふくれりゃ、ちったァマシな気分になる」

　もう『チョコレートドーナツ』全然関係ないじゃん、ホットドッグじゃん。下手なイケメン俳優さん、私と顔面交換しよう。アラン・カミングみたいに歌うから。私、こんな自分のまま、"いつの日にかきっと"なんて全然思えてないわ。

『チョコレートドーナツ』2012 年製作／監督：トラビス・ファイン／アメリカ

『百円の恋』

新井浩文 何してくれんだ記念
この映画はスゲェ良かった 主題歌のクリープハイプ
以外 全部好き 好きってか グッ 〜〜〜
やってやんですゎ 〜〜〜 ってやんじゃね

安藤サクラ どないなってんねん
なんかもうニオイまで感じるゎ

ホント 曲以外 全部イイ 曲以外

人間が変わっていく様 をあんなに全力投球で演じられると
どうひゃ〜〜 ってなる こんなにマジで俳優やってる人いる?
どんだけタフやねん、どんだけ芝居好きやねん
"役づくりのために身体づくりしてぇ〜"って トークバラエティの番宣で
俳優が言うこの台詞大抵 鼻につくけど この安藤サクラはすごい
町必要だったから、感かね。「ここまでやる自分スゴ」みたいな
自意識を全然感じない.

大きな作品じゃなくても ここまで全力でやってくれんの
あァー 全人類 こうあってくれよ

気力体力 ギリギリまで、とにかくこの作品のために
全力ぶち込んできたのが分かる。いや知らないけど.

良いものつくるなオイ ほんと腹立つゎ

『百円の恋』2014年製作／監督：武正晴／日本

CM にもムカつく

　何にムカつくってさぁ、その自己肯定感なワケよ。niko and... の CM なんか最高にムカつくね。
　身体が死んでやがるって感想を抱くのは演劇かぶれのイタい野郎だけで、みんなオシャレ〜ハイセンス〜って思うんだろ。オイ誰だ、今、店内でバシャコン、一眼のシャッター切った奴は。くっそインスタめ。元凶はインスタであるということにしようか？　は？

　そもそも写真が嫌いであります、小生。写るのが嫌い、しんどい。
　アーティスト気取りの一般人のポートレート見るのも、しんどい。
　きっともっと良い君らしさがあるはずなのに、イタいだけだよって思う。

　あんなのホンモノじゃねぇよってくだ巻いてんのダサいって分かってんだー、だから外では言わないよ、そんなこと、ねー。でも私は「分かんないほうがセンス悪い」って空気出してくる表現はイヤだよ。突っぱねていたい。いざ目の前にしたら無理かもしれないけどね。あーのイヤな空気。ね？　センス良い人、の出すあの感じ、何？
　向こうのがたくさんカード持ってるってふうの、さあ。ウディ・アレンの映画に出てくるよ、そういうイヤな空気。

私『アニー・ホール』全然だめだったんで、ウディ・アレンとは分かり合えないと思ってたんだけど、『ブルージャスミン』は3回観た。そのたびにしんどい。吐きそうになる。

　セレブ暮らしから転落して、なんとか持ち直そうとリッチにしがみついて虚勢を張る女の話なんだけど、笑ってんのか笑われてんのか分かんなくなるんだよね。

　最初、ウディ・アレン作品って知らずに観たけど、後々知って心底イヤになったよね。ウディ・アレンほど成功しててセンス認められてる人間がこんな映画撮ったワケ？って。ふざけんなよマジで。

　『ラ・ラ・ランド』へのムカつきとはまた別な。ねぇ？　アレは「そんな話、どん底にいる人間からしたら成功者の戯れ言ですよ」って『獣になれない私たち』の恒星さんのセリフそのもの。もっとなんか、ハァ〜〜〜？？？　どこまで本気で言ってる〜〜〜？？？って。

　まぁた食いモンの写真撮った奴がいるぞコノヤロー。アカウント特定すっぞコラ。

　才能の話、持てる者持たざる者、虚栄、自尊心、そういったものをテーマに描いた作品でたぶん、一番身近というか身の丈に合っ

ているのは『フランシス・ハ』。"undateable（非モテ）!!" IT'S ME huh.

『ラ・ラ・ランド』はトライし続けてもう一歩踏み出した結果、信じてた通りの才能が認められたのに対して、こちらのフランシスは続けたけども信じてたものとは少し違う形の、あーでもそういうのも遠くはないかな、っていう道を受け入れた。

　これが一番現実的じゃない。ねぇ？　最初は挫折 70％かもしんないよ。でもそのうち「これが私の道だ」って思えるようになるって人生がさ、幸せじゃんね？

　そういう日が来るのを恐れながら待ち望んでいる。niko and... の CM にムカつかない自分になっていくんか、全く想像がつかないが、その方が楽じゃないか。

　他人の肯定感に妬かなくってすむぐらい自分に自信欲しいじゃん。

「いや あまりにも 俺じゃない!! そんな人生!!!」

　これ『BEASTARS』のレゴシのセリフね。今の私にはこいつがドンピシャですわ。世に言う幸せに合致しない方が自分らしい。

　どっちに進めばいいのやら。とりあえずまだインスタのアカウントは作らない。

『ブルージャスミン』2013 年製作／監督：ウディ・アレン／アメリカ
『ラ・ラ・ランド』2016 年製作／監督：デイミアン・チャゼル／アメリカ
『フランシス・ハ』2012 年製作／監督：ノア・バームバック／アメリカ

『グレイテスト・ショーマン』

　なかなか書き出せなかったわりにそれなりの枚数になってきた。自意識に殺されそうになりながら書いていたのも、いつの間にかちょっと慣れてきた気がする。たぶん、自分の中の他人の目に慣れてきた。「まぁ言わせておけ」と思う。3日後にはまたクソ落ち込んでいるかもしれないけど。

　悔しいと思うのがしんどくて、映画もドラマも、CMすらも目にしたくなかったけれど、それにも慣れてきた。劇場には二度と足を踏み入れられないと思っていたのに、案外あっさり入れたし楽しかった。もっとああすれば、こうすれば……と上から目線であれこれ考えるのも、もう仕方ないことなんだ、きっと。フリーターごときの大した稼ぎもない分際で舞台のチケットを買ってしまうのも、もう好きなんだからしょうがない。
　"自己肯定"というのが、求められている時代だと思う。いち早く反映した大手はディズニーなんじゃないか？　知らんけど。
　『アナ雪』、映画自体は意外とそれを大々的にテーマにしてなかったけど、大ヒットした曲はもろに自己肯定賛歌。松たか子大好き。

　私が超感動しちまったのは『グレイテスト・ショーマン』。
　This is me. ありのままで、自分に誇りを持って。泣いちまったよ。

104 分という短めの尺も素晴らしい。映画の勢いのままに、さあ！と立ち上がれる。

　この映画、周囲の評判は散々でした。ご都合主義、頭ん中お花畑 etc. はァ？　何言ってんの。これは単純なんじゃなくて、シンプルに見せてんだよ!!

　Look out, cause here I come.
　今に見てろ、今に見てろよ。

　人からの侮辱に憤る（いきどお）ことさえできず、愛想笑いまでしてしまった自分を恨んで、蔑んで（さげす）、目に入らないように傷を隠して身をかがめて歩いたことがないのか？　私はあるね。だから充分にこれは私の話だと思える。

　ペラペラなのはこの映画じゃなくてテメェの人生だよ。また悪口を言ってしまった。I make no apologies, this is me.

　あとこの映画はみどころが多い。
「こういうシーンが撮りたい!!」という明確なビジョンがあって、そこに向かって全方面のスタッフ・キャストが努力を重ねていったというのが見て取れる。楽曲にも妥協なし。歌も踊りも、カメラワー

ク、照明、惚れ惚れする！

　感動のあまり一日で５回観た。なんなら一緒に踊って歌った。楽しいかよ。

　キアラ・セトルが「魂が癒される時が来た」とインタビュー映像で涙ながらに語っていたのも泣けた。

笑われてもいいから、このルーズリーフがなくなるまで悔しみを書き綴ろう。

『グレイテスト・ショーマン』2017 年製作／監督：マイケル・グレイシー／アメリカ

『POP VIRUS』

　星野源の『POP VIRUS』ライブ観てきた。ノリで応募したら当たっちまって観てきたんだ。楽しかったけど、せっかく拾った銀テを道中洛としたらしい。なんてこったパンナコッタ。

　そもそもだ。星野源のことは生け好かねぇヤローだと思っていました。『逃げ恥』のとき。でもひったすらあらゆるところで聴く『恋』はめちゃめちゃ魅力的で！　気づいたら恋ダンス完コピしてたよね。謎のなつかしさがあるよなーとか思ったら、サケロックの人だった。あっれー!?　知ってんよサケロック！　ウォークマンに入ってたよサケロック!!　高校んとき!!

　人生初のインスト曲、大人な気がして気に入ってた。なのになぜGEN HOSHINO を知らなかったか？　曲しか知らなかったからさ〜顔見たことなかった。寮生活してたからさ、PC が共同なのね？だから他人の入れたアルバムを勝手に同期させて聴いてたワケよ。そんときゃ既にサケロックも売れてたんだろーけど、周りに知ってる人いなかったし、自分だけ知ってる優越に浸ってた。

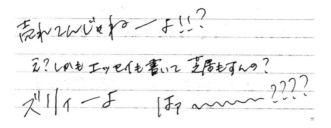

ラジオもめっちゃ面白いじゃん。根暗シンパシーを感じる。感じる半面、女子にキャーキャー言われててケッて思う。うらやましいわコノヤロー。

　どん底の自己嫌悪まみれの、人には見せらんない、どぉろんどろんの感情を知っている。"こっち側"の人間、わぁ〜仲間〜って思うんだけど、世間的には大スターじゃんね？　スーパースター星野じゃん。そこに5大ドームツアーですよ。ハァ〜？　いかほど〜〜？そういう気持ちで観に行った。5万人？　つぶつぶ人間であふれてギッチギチのドームの中、あいつぁ一人だったね……一人だったよ……。

　なんだろうね？　シンプルな照明、セットのせいかな。皆、星野源を観に来てんだけどさ、なんもない、スモークがたまった空中に向かって歌うのね。

　あ、ラジオの人と変わんねぇなーって思った。根暗野郎じゃん？いや、基本的に世を愛しているんだけど、ちゃんと暗いところにも寄り添える人じゃん？　もっと調子乗れよ〜……スゲェ良いアルバムじゃん、『POP VIRUS』……。
　音がね、いっぱいするのね、いろんな音がね。

あーあ。「踊れ名古屋ー！」って言われる前から踊りまくってたよ。

　あーあ。たーのしかった。

『ブルース・ブラザーズ』が好き、っつってる時点でね。良い奴なんだよ、星野源は。

　何の映画が好きー？って聞かれて『ダークナイト』とか『時計じかけのオレンジ』とか言う奴のことは警戒しちゃうけど、『ブルース・ブラザーズ』って言う奴のことは信じちゃうね。握手しちゃう。

『POP VIRUS』星野源（SPEEDSTAR）

『ブルース・ブラザーズ』1980 年製作／監督：ジョン・ランディス／アメリカ

そっち側

　激務だろうとなんだろうと、理想をこの世に生み落とす作業がそのままお仕事だなんて幸せじゃねーか。
『おげんさんといっしょ』めっちゃ面白かった。なにあの番組？観ててハラハラしなくていい生放送。素晴らしい音楽番組やんけ。あれを生でやれるようにスタッフが奔走してる感じも含めてイイ。

　ＮＨＫ　Ｅテレとかわりとそういう意欲的な企画の番組多いやん。『ねほりんぱほりん』なんてあんなんめちゃクソ準備大変なんだろうけど、それでもあんな番組つくれるなんてイイなって思うよ。

『ブルース・ブラザーズ』っていう映画のエンドロール、"監獄ロック"を出演者たちが歌って、一人ひとりクレジット入れるんだけども、その中で"ＣＲＥＷ"っつってスタッフも映るのね。その楽しそうなこと‼　みんなで集合写真撮るときみたいに段々になって並んでさぁ、歌って体揺らして。そっっっち側に行きたい！　あれスーパー理想。

　なんで私、それを家で観てんだろ。
　このボールペン消せんのよ、フリクション。すげーよね。これ開発した人たちも楽しかったかなぁ。

大変だったけど 楽しかった、って　その次、次、って
出てくる　理想にワクワクしながら　生きて
そっち側に行きたえ

『おげんさんといっしょ』（NHK 総合テレビ）
『ねほりんぱほりん』（NHK Eテレ）

『シング・ストリート 未来へのうた』

　曲が良い、すこぶる良い。やっぱり良い、ジョン・カーニー。『はじまりのうた』も『ONCE ダブリンの街角で』も良かったけども。なんでこんなに曲のセンスが良いん、腹立つわ。

　好きなアーティストに影響されまくった青春を思い出すなァ。特にあの体育館で PV 撮るとこね。分かるよその頭の中、分かるよォ。

　いや、待って、全然筆が進まない。正直に言いな、ちょっとビミョーだっただろ。うん！　ちょっとね！　曲が良かった、以上‼
『はじまりのうた』のが好みだったかな、タイトルはダセェけど、印象的なシーンを作るのがうめえんかな。キーラ・ナイトレイが演じる主人公・グレタがギター一本で居心地悪そうに歌って、それを聴いた音楽プロデューサー、ダンのイマジネーションでドラム、ピアノ、ストリングス、アレンジが加わっていくところ。
　あ、分かーるー。ってかキーラ・ナイトレイ歌うまいな。

　頭ん中で、パァァッとイメージがわいてくるんだよね、あっという間に。「こうなったら素敵じゃん」ってのが見えてきて、だから、その、ワクワクに向かっていく感じ、創るときっていうのは。あの感覚を見事に表現しとったなー。

そのワクワク、うらやましいぞ。は――ワクワクしてぇ――。

『シング・ストリート』もこういう話にしたい、画が撮りたい、こんな音楽で彩りたいっていう理想がしっかりあって、ちゃんと形になっていたと思う。自由自在かよ。

　クッソ――なんだ、その才能。ダンに会いてぇ。

『シング・ストリート　未来へのうた』2015 年製作／監督：ジョン・カーニー／アイルランド・イギリス・アメリカ合作
『はじまりのうた』2013 年製作／監督：ジョン・カーニー／アメリカ

『検察側の罪人』

検察側の罪人の例のシーン良すぎて名のある賞を
与えるべきな件

　見たのよあの、二宮和也と酒向芳の壮絶なワンシーン!!
日本アカデミー賞 授賞式で蒼井優ちゃんも言うとったけど、
完璧な音程とリズム(間)だったな〜 スコアにしたい
　あれは本当に感覚が優れていないと出来ない芝居だと思うよ

原作読んだ時点でオイシイシーンだとは思ってたけど、
あんだけのクオリティで持ってこられると うおおおってなる
(分かる〜!みたいな 私もそうやって作る〜!って

　ホント信じられないくらい傲慢だな私？
(分かってるよ 多分 3才の時点で 既に傲慢

　あ〜 なんでこの良さを語って人に聞かせられるだけの
　肩書きを持っていないんだろう
　　一生ただの偉そうな人 だ 有村昆になりたい
ウソ なりたくない あの「バードマン」に出てきた
クッソ偉そうな評論家になりたい
　　それかもう宇多丸

『検察側の罪人』2018 年製作／監督：原田眞人／日本

『彼らが本気で編むときは、』

　誰を諭すでもなく、うー、静かに強く、生きてこう。

　う———なんてあたたかい。

　何か明確な意見を押しつけられたワケじゃないんだけど、じわじわと"前向きに"考えられる。余韻。荻上直子監督、良いんだよ———。これまでにない LGBT というセンシティブではっきりした要素がありながらも独特の"ほっといてくれる"あたたかさを失わずに仕上がっているよ———。過去作の『かもめ食堂』『めがね』『トイレット』『レンタネコ』……に対して、もたいまさこも小林聡美も居ないし、北欧も猫も出てこない今作は果たしてどうなるか、テーマ重いし、「生田斗真（ジャニーズ）が女装」っていう強いインパクトがあるし、大きすぎる物語になっちゃうんじゃないかと思って劇場で観んかった。行っときゃ良かった。

　一つひとつのシーンが丁寧なんだァ。俳優に、役に序列がない。

　こういう作品に、たった一言でも参加出来たら幸せだよなァ。

　小池栄子は非常に良い芝居をするよね。本当に懐が深い。この人がいるだけで安心する。権力者になってアカデミー賞授与したい。

　人の心にこういうあたたかさを灯せる人間になりたかったはずなのに。

『彼らが本気で編むときは、』2017 年製作／監督：荻上直子／日本

『女王陛下のお気に入り』

うぉぉぉおもしれぇええええ！

作品賞コレだよ、メラニー※さん、コレだよ。『グリーンブック』も観たけど、私はコッチ派だね。今すぐ英国人になってベラベラと褒め称えたい。サイコー。カメラワークキモいし、音楽もキモいし、ラストもキモい、大好き。めちゃめちゃ現代劇じゃん、うっひょー強。

PG-12指定だからあんまり気がすすまなかったんですよ。だけどもうすーぐ夢中。ギッタギタに前衛狙いすぎてない感も良い。分かりやすい。なに、エマ・ストーンってなんでも出来んじゃん、天才かよ。

え、アメリカの方ですよね？　イギリス英語すばらしいんじゃね、分からんけど。すげぇ見知った顔があると思ったら、お兄ちゃんいたわ、『SHERLOCK』の。

はァ──？　なんなん、この、ハイレベル映画。ホォ──ン？

ちょっとアレ、思い出した『胸騒ぎの恋人』。グザヴィエ・ドランの。

手を叩いて笑うタイプじゃないコメディ。やっぱ演出がバチバチに現代的なんだよな。シンセ────ン!!!!

あー 興奮 冷めやらぬ。
こんな面白いモンつくっとるんか、君らは
私が生きとるこの瞬間にも こういうモン作っとるのかと思うと
クゥ〜 ってなるね 生きるイミよ、ホント

※ Ms. メラニー（オスカーウォッチャー）
『女王陛下のお気に入り』2018年製作／監督：ヨルゴス・ランティモス／アイルランド・イギリス・アメリカ合作

「女子と女子」

　バカリズムの「女子と女子」っていうネタ、傑作すぎて大好きで、あーこうすればよかったのかー!!ってなる、何度観ても。

　YouTube で公式公開されてるから、ホントもっと評価されてほしい。これ不条理演劇の延長線上にあんじゃね？　スゴくね!?ただの冷笑ネタかと思いきや、後半どんどん加速してカオス！はー！　地獄！　いや、現実！

　こういうことだよ、こういうことなんだよ、な？　そうだよ。

　何言ってるか全然分かんないし、お前全然分かってねぇなと言われるんだろうけど（というセーフティーネット）、劇団・地点を観たときに似てる。それ以上に「コレだよ!!」って思ってる。めちゃめちゃコントじゃん、ねぇ？

　ぁァ———のたうちまわる。どうやったらコレにたどり着けんのか。いや別にそんな大それたことを言うべきじゃないんだろうけど、すっげぇ真っ当なネタだと思うのねぇ？　思うのよォ。

　升野さんホントすげぇ。なんで違う人間なんだよ、もう。

それ私が思いつきたかった　　　———

「女子と女子」（バカリズムライブ DVD『なにかとなにか』収録）

『アゲイン!!』

主人公がオレすぎる、こか久保ミツロウ自身なしだろうな
この根暗 卑屈 陰気野郎
大嫌いな自分へのエールなんだこの話は

創作ってェ土ンがはじまりだと思うんすよいつも、
どもこんな上手にやれる!? うぉう!?
元からネガティブ 生まれつきネガティブ
この苦しみを こんなに笑えることあるか!?

"明るければ 何でも正しいとか思うな ボケッ"
なんつーわかりみ

自分へのエール、やりすぎると寒くてイタくなるもんだけど、
めちゃめちゃ溢れているクセに勢いがあって良い!
ねちゃねちゃしていない。筆圧のせいか?

すげェフツーに蜷川演出のシェイクスピア劇でも台詞がよく
イ分からんとか ディスってて笑えた。それはたしかにそうっす。

私だってアンタと同じくらい ネガティブで傷つきやすくて
プライド高くてめんどくせェ奴だから
コウハウの作れなきゃ こんな人間であるイミが無いと思
うんだよな

久保ミツロウ うらやましい

『アゲイン!!』久保ミツロウ（KC デラックス）

『カメラを止めるな！』

　映像なり舞台なり、芝居をやっているアマチュアで、この作品に終始ケチをつけずに観ていられる奴はいないんじゃないか。口コミで拡がり爆発的ヒット、前代未聞だと世間でもてはやされまくっている間も、それはそれはうすらキモイ嫉妬心に満ち満ちていたので、勿論劇場には足を運ばなかった。観に行って「いやぁ面白かったよ」なんつってる同期もいたけど、あれは自分劣等感なんて抱きませんけど？　作品の良さを私情抜きに評価できますけど？　なんていうのをアピールするためのポーズに過ぎんと思う。絶ッッ対にそうだね。だって羨ましいじゃんか!!!!　は？

　作品にかけてる熱量なんてみんな一緒だっつーの。あんなふうに"実力が認められて"売れるなんて理想、めちゃめちゃに苦しみながら抱いてるに決まってんだろ。しんど。

　観たよ、金曜ロードショーで。意地で観ない感じも恥ずかしいから観たわ。さもこれまで気になってはいたけどタイミングが合わなかったんだよね〜金ローでやるんだ〜なら観よっかなというテンションであるかのような顔で観たわ。

　冒頭から止まらねぇよ、粗探しが。なんてむなしいんだ、いや、でもしょーがねーじゃん。知っっってるよ映画を、作品を作りあげ

る楽しさも、それで小銭を稼ぐために避けられん不条理さも、全部知っとるわ。

　良いなぁ売れて。こんな売れ方して。終始、この映画に関わっている人と知り合いの同業者、紙一重で脚光を浴びなかった人たちの背中が浮かんで切ねぇ切ねぇ。

同期よ、
頼むから 私が どうにかなるまで 一人も売れてくれるなよ

『カメラを止めるな！』2018 年製作／監督：上田慎一郎／日本

『8月の家族たち』

前から知ってたけど メリル・ストリープってやばいよな。
いや ベネディクト・カンバーバッチ もやべえんだけどさ。
若い頃 砂羽さんに似てない？『マイ・ルーム』んとき とか。
んであと ジュリア・ロバーツ、ユアン・マクレガー？ この人たち 全然
覚えらんない、俳優の顔を。上手いんだよなぁ、というこには。

ニューシアタークワーンでやった舞台も観みに行った。
高かったな チケット……。 でも面白かったよ

圧倒的に脚本が良いよね !!!!!!
トレイシー・レッツ・ 声の名前は覚えた。

12の家族、会話の中でどんどん変わっていく（顕わになって
いく）関係性、場の空気 このコントロールが にまんないよい
演じたら すっげぇ楽しいだろうなぁと思う
もはやシェイクスピアなんじゃね
濃純すぎて笑える家族の話としては勿論、
演技合戦として すっぶる楽しかった。
たまらんねぇ、こういうの観ると 英語圏に生まれたかったなと
思ってもう。

色んなキャスティングで観たいなぁ

面白いよコレ どんどんやろうよ
トレーニングに使うのも スゲェ良いと思う

ねぇ!? 良いよねぇ!?
誰か聞いてよ 私の話。

『8月の家族たち』2013年製作／監督：ジョン・ウェルズ／アメリカ

70

店長

　かつてのバイト先の店長のツイートを見るのがやめられない。

　特に、落ち込んでいて、寝転がったまま数時間動けないようなときについ見てしまう。なぜアカウントを知っているかって、特定したからだ。

　店長は私の父親くらいの年齢だったけど、ほとんど仕事らしい仕事をしておらず、一日中店のパソコンを占領して、情報収集をするフリをしてTwitterを開いたり動画を観たりしていた。そのせいで本来は店長がやる仕事を私がやる羽目になった。

　どうして店長の仕事までこなす自分がフリーターという不安定な身分で最低賃金に毛の生えたような給料しかもらえず、奴は正社員として一人で生活できるほどの給料がもらえるんだ。この矛盾に激ギレして、絶対あいつに制裁を下してやる、と機会を狙っていた。サボっている証拠を本社につきつけるんだ。そうだ、Twitterアカウントを特定して、勤務時間中のツイートをおさえてやろう。

　特定するのに時間はかからなかった。相手はネットリテラシー最下層のおっさんだから、ちょろちょろぴーである。（しかものちに、店のパソコンに履歴がまるまる残されていることが判明し、バイト全員にアカウントが知れ渡ることとなる。想像以上のネットリテラシーの低さだった）

ほとんど仕事らしい仕事をしない店長は、仕事の愚痴ばかりを言っていた。数年分さかのぼってみても、ずっと同じことを言っている。つらいな、しんどいな、やめようかな。そして時々、若い頃の栄光を振り返り、あのときあの道を選んでいたら今頃どうなっていたかな、と言う。ループ・ループ・ループ。これに変化があらわれる日はやって来るんだろうか。返事をするフォロワーは誰もいない。

　笑えない。まじで。

　イタすぎる、って指さして笑えるかと思ったのに、絶妙にしんどい。このクソポンコツ野郎、と恨めしく思って見ていた背中がまざまざと蘇る。私の背中、今、どうなってる？

　結局、告発する気が失せて私はバイトを辞めた。

　それでも未だに見てしまうのは、店長のツイートの中に、この悔しみノートとの相違点を見つけたいからかもしれない。今日は1時間も見てしまった。

『シェフ 三ツ星フードトラック始めました』

ウウウウウらやましい！！！！すっごくいい、とても丁度よい、という
イミですっごく良い。冷静につくられた安心感のある映画。
ジョン・ファヴロー。主演・脚本・カントク 全部やったのね
すばらしい うらやましい

音楽が良くて、美味そうな飯が出てくる映画は
大抵イイのさ、でもこれは話も丁度イイのさ！！！
全体的に そう上手くいきすぎではあるんだけど、それが
イヤんなるほどの ウソくささや とってつけたようなポジティブさは
無いのね。ムダに金かけた感もないね。
キューバサンド食いてぇ

このバランス感覚、何やらせても大丈夫だなと思うわね
あ〜〜〜たのしそう！！！！う〜〜〜〜〜〜！！！！
　　う〜〜〜らやましい　　なんでだろうもうサントラ
聴くだけで 陽気になってくる　キューバサンド食いてぇ
ホントセンス良い、自由につくったんだ なってカンジするゥ
　良いコミュニケーションの中でつくられたんやね
ヴ〜〜〜理想、クッソうらやましい 私もそういうのやりたいやん
　　　　　ぐぅううううっ

『シェフ 三ツ星フードトラック始めました』2014年製作／監督：ジョン・ファヴロー／アメリカ

『三の兆候』

　『SHERLOCK』シーズン3のエピソード2『三の兆候』の、ベネディクト・カンバーバッチの芝居が完璧なんだよ。

　てかこれ原題の『The sign of three』を日本語で表記することによって元ネタの『四つの署名（The sign of four）』感がゼロなんだ。そういうこと多いぞ、日本語字幕。吹替で観る人余計に理解できないでしょ、それ楽しいの？　楽しいのか。楽しいならいいか。

　このエピソード、挑戦的な構造じゃないスか。役者冥利に尽きるってぇかさー。スピーチをしながら推理をすすめ、真相にたどりつく。頭の中で複数の情報、思考を同時に存在させて割合を調整していく。とても完璧な演技プランと実践。

　そ———————うぃう芝居大好き！！クソが！！！！

　美味しさも理解しながら、ちゃんと演出できる役者すばらしい。さすが、シェイクスピア俳優。

　彼すごく人気出たじゃない、何年か前に。全ッ然チェックしてなかったんだよなァー、ほんと勿体ねぇことしたチクショー。なんつーのかな、ハイありがとう私が大好きなコースです、って気持ち。

このスタートとゴールがあったとしてサァ、そこをどうつなぐか
は自由じゃん。絶対的な正解なんてないんだけど、"より良い"ぐ
らいのことはあるんだよね。それを見事にたどってくれるんだよ、
この人。英語しゃべれていいなァ、貴様。

　BBCドラマシリーズ自体にはちょいちょい不満がありますけど
好きだし、ことごとくこれのマネごととして大失敗してる日本のあり
さま見てると悔しいよね。
　こういう芝居の美味しさがある作品欲しい。欲しいって何。

『SHERLOCK』シーズン3（2014年／BBC One）

『チャンネルはそのまま！』

　なんやコレめちゃクソおもしろいやんけ……DVD化しろや……。北海道ローカル……？　ほう……流してくれてありがとうな、メ～テレ……（この波ダッシュ、なんかムカつく）。

　北海道テレビ開局50周年記念作品ということで正直、君誰やねん状態の役者多いし、決して上手いとは言えない芝居も散見されるんだけども、面白い！　何コレ原作の力？

　佐々木倫子原作ですって。ハイハイ『動物のお医者さん』のね!?　ハイハイハイそりゃ面白いわ。そもそもの舞台が北海道テレビなんスね。最高の形じゃないですか、このドラマ化。ローカルテレビ局おもしろいな！

　テレビ局が舞台のドラマっつったらもう私には『美女か野獣』しか思い当たらないんスけど、『チャンネルはそのまま！』は恋愛しないのが良いね！　ヒジョーに良いね！　いや『美女か～』には恋愛模様を描く義務があったからそれはそれでいいんだよ。ただ、恋愛要素が記号化しとるというか、なんかもう味の素的に使われているとモヤっとするってだけなんです私は。それまでの人間同士の信頼が崩れた気がしちゃうじゃん？（『アンナチュラル』でミコトと

中堂さんが恋仲にならなかったのはマジ良かった）

　地元に根差したキャスト、小ネタ演出、ローカル局での撮影、制作、放送、すばらしい地産地消！　嫌味がない！　ワンカットのエンドロールも良い、一発勝負な生放送感出てる。
　テレビ局の裏側を知れるお仕事ドラマ感とコメディとストーリーのバランスがめちゃめちゃ良いよね。グッズがほしい。なぁ愛知、頑張ろうぜ。なんのための堤幸彦と玉木宏だよ。

『チャンネルはそのまま！』（北海道テレビ放送）

沖田修一監督

『南極料理人』を観る度にボロボロと泣いちゃう、って友だちに言ったら「え、どこで?」って聞かれた。今日なんか BS かなんかでまたやっとったから途中から観てまた泣いた。泣けるじゃん。仕方なくね? 堺雅人に「おいしいものを食べると元気が出るでしょう?」って言われたら「うん(号泣)」になるじゃん。おなかすいた。

　寮生活してたから、寂しさでなんかおかしくなってくるのも分かる。ストレスたまるよね集団生活。普通にゆっくりシャワー浴びたいよね……。

　沖田監督の『滝を見にいく』も前に映画館で観た。ばばあのガールズトークがすげぇかわいいのと同時に、すべての女性が手をつないで遊んで、拾ってあつめた木の実を宝ものにして、内緒話をしてきたよね───……っていう謎の切なさ? 感じちゃった。精神的な年齢以上の老いを「おばあさん」という役割と一緒に背負わされている彼女たちが見えた、っつーか。私だってまだ5歳だもん(怒)って思う日あるし、意味分からん? だよねー。
　でもこの空気感の映画を若ぇのにやられるとムカつきそうだから『横道世之介』は観てない。『キツツキと雨』も。

なんだろうなァ〜バカでかい不幸とか悲劇とかじゃないじゃん？
生きててそらキッツいことは起きんだけどさ、物語にするほどでも
なかったり、友だちに話すほどのものでもなかったりするじゃん、
あとで冷静になると。

　でもそれをするっとすくって、さーっと海に撒いて、ハイ、おし
まい、ご飯食べよ。みたいにしてくれるんだよな『南極料理人』も
『滝を見にいく』も。

　そうだ、滝の方の演者って素人さんたちだったよね、アレ。

　いいなぁ〜〜〜〜〜ワープしてその歳になりたい。

　いいなぁ、あーいいなぁ。いいなぁ、そんな映画出れて。

　良い映画だったよ。あんたたちいいなぁ。

　私ってそんなに無意味だったのかなぁ。そんなことないよ待ちし
てる。

『南極料理人』2009 年製作／監督：沖田修一／日本
『滝を見にいく』2014 年／監督：沖田修一／日本

『生理ちゃん』と『パッドマン』

　私、PMS ヒドいんだよね。毎月ホント予定日の 10 日前くらいからイライラがヤバいし、死にたくなるし、とんでもなくデカくて痛いニキビができるし。絶対婦人科行くべきなんだけど検査も怖いし、お金もないし、低用量ピル処方されても食欲増加の副作用が出たらまた摂食に戻ってしまいそうで、怖くて行ってない。

　生理になると激重で鎮痛剤のヤク漬けになるし、出来れば誰にも会いたくない。1 ヶ月のうち元気なのって 1 週間ぐらいだよ。

　子どもが欲しい、産みたいと思ったことないからマジで子宮ごと取りたい、正直なところ。気軽に移植できたらいいのに。こういう話、Twitter で出来てもリアルでしないよね。したい訳でもない、正直。生々しさが胃にくるし、日常会話にするには重すぎる事情の人もいるし。生理中、普通の生活もままならないのに、仕事するとか無理ゲーなんスけど。みんなどうしてんのホント……イライラで気が狂いそうなコトないの……？

　いや、あるね！『生理ちゃん』読んで安心した。あるじゃん!!

　生理を擬……人じゃねーしな……キャラクター化しようって思いついた人、天才！　すばらしい、おめでとう、ありがとう。めちゃめちゃ抵抗ないじゃん、すげぇ知識身につくじゃん。

　みんなに読んでほしい――このマンガ――。

そして興味がわいた勢いで『パッドマン』も観た。なげぇ——
この映画。インド映画って全部回収せんと気が済まんの？

　なげぇ——。でも勉強になった。ついこの間の話じゃんね。大
事なことだ。大事なことだよォ——。

　ああすればいいのに、こうなればいいのに。そう思ったらパッと
立ち上がって、実現できる人になりたいな。

　すげぇなみんな。そろそろ私にもできるかな。

『生理ちゃん』小山健（KADOKAWA）
『パッドマン 5億人の女性を救った男』2018 年製作／監督：R・バールキ／インド

劇団雌猫

　劇団雌猫への嫉妬心がゴイス─。

『だから私はメイクする』『本業はオタクです。』『浪費図鑑』『一生楽しく浪費するためのお金の話』、オタク気質の女性にドンピシャで刺さる書籍、イベントを次々と……。

　公式によれば、劇団雌猫とはアラサー四人組からなるサークルで、完全なる"ただの興味"からネットでも見えないオタク女子の本音を調査している。

　全部面白いんだよな〜。ペロッと読んじまったよ、よく売れるしな。SNSが発達して、特に趣味でつながるオタクは他人の日常や独り言をよく知っているんだけど、ネットリテラシーも高いから個人の特定につながりそうな職業の話、お金の話、マウント案件になりがちな自尊心の話にはなかなか触れらんないのよね。そこをこう、完全匿名かつ、SNSよりも拡散レベルが"劣る"書籍という形で発信したの、めっちゃイイじゃん？（SNSはもう「オタクとしての自分」の公的な場ですからね）

　ジャンルは違えど、好きなものを追いかけることに全力を注ぐ者同士、分かりあえるドラマがあるんだよ。

同人誌からスタートして、こうして活動が拡大してんのスゲェ羨ましい。しかも本業と両立して!?　スゲェ。

　本読んで「イイ！」と思ったオタクはSNSで劇団雌猫のプレゼンはじめるしな。オタク市場を知り尽くした戦略なのだとしたら相当賢いゾ。もしくは本当に"ただの興味"で偶然、オタク需要と合致したのだとしてもその純粋な世界に受け入れられている感、うらやましい。

『だから私はメイクする 悪友たちの美意識調査』劇団雌猫（柏書房）
『本業はオタクです。 シュミも楽しむあの人の仕事術』劇団雌猫（中央公論新社）
『浪費図鑑―悪友たちのないしょ話―』劇団雌猫（小学館）
『一生楽しく浪費するためのお金の話』劇団雌猫（イースト・プレス）

何をしてくれとるんや れ里は
私だって蒼井優と結婚してえわ
あんな あんっな 素晴らしい女優と
ひぃ——————

『花とアリス』観た？『花とアリス 殺人事件』と
良かったよぉ…… おぉ…… ハチクロ、フラガール、鉄コン
百万円と苦虫女、ドラマも観たな タイガー＆ドラゴン
おせん 観てたよ 舞台も オセロー、南へ
かもめ、グッドバイ、三人姉妹……
良かったなぁ ああいう芝居をする人が
一緒に支え合える人に出会えたというのは、
良かったなぁ

その辛抱な、喉が好き。

言い訳は 不毛な 議論で 聴こう

『架空OL日記』

『架空OL日記』の映画化が決まったゾ……。

　最高に進んでるコメディドラマだったので、はちゃめちゃに嬉しい。5回ぐらい観に行ってしまいそう、金ないけど。これ元々、バカリズムが一切身元を明かさずに架空のOLになりすまして書いていたブログをドラマ化したのね。

　いや、架空のOLのブログってなに。書籍化されているから全部読んだけどさ。面白すぎん？　狂気の沙汰やん。

　絶妙にリアルなんだよね、ホント気持ち悪い。いい意味で。これは架空のOLの話であるという前提を知っているのに、いつの間にかそれを忘れて没入して、OLの日常あるあるにクスッとして、そんで我に返るのね。あ、これ架空かって。

　その順当で新しい笑いの仕組みをす───ごい見事にドラマにしてたしね、バカリズムがOLの役を演じていることによって。架空のOLの話である、というおかしさ➡バカリズムがOLの格好をしている違和感。この違和感、数分もすれば消えてしまう。あっという間にちょっと笑いのセンスがあるOLの日常をのぞき見しているような気分になる。

　OPとかアイキャッチのイラストもセンスあってオシャレなんだよな、主題歌も。ちょっと切ないしね。キャラに愛着わいてんのに、

全部 "架空" だから。この切なさもきちんと映ってる。

　映像のことよく分かんないけどさ、赤が強く出るフィルターみたいのかかってんのもかわいいんだよね。おじさんの OL 姿なのに。でも、私の周りでこのドラマ観てた人全然いないし、うちの店で本も一冊も売れなかったんだよね。プロモーション下手くそか。私にやらせろ。

原作『架空 OL 日記』バカリズム（小学館文庫）
連続ドラマ『架空 OL 日記』（読売テレビ）

『くせのうた』

　何度も書いてる気がするけど、星野源ってズルくない？

　エッセイを読んでいると、ダメダメ人間でものすごい親近感がわく。公共料金の支払いは忘れるし、すぐにお腹を下すし、部屋もぐちゃぐちゃ、洗い物も溜めてしまう。だけどその実、何万人というファンでドームを埋めるスーパースター。陰キャには絶対にかけられない色つき眼鏡でNYの地下鉄を背景に歌っている。

　同じように公的手続きを先延ばしにして、枕カバーを定期的に洗えない、そしてスーパースターなんかではない私は一体なんなんだろう。うっかり親近感を抱いたりして申し訳ない。

　というか、そんな思わせぶりなことしないでほしい。

　そのダメダメ感を、スーパースターで帳消しにしてむしろ愛されポイントにすら変えているじゃないか君は。私はどうだ、ただのダメダメだ。世間から見たらゴミクズ。ちゃんと働いている兄とは仲が良かったのに最近は疎遠だし、勝手に抱いた劣等感でギクシャクするから、友達とも連絡をとってない。

「やりたいことをやっていいよ」と言ってくれる両親には申し訳ないが、やりたいことに向かう勇気すらなく、少し腰を浮かせては自信のなさに心を折られて、また布団にもぐり込んでいる。

自分のペースで少しずつ頑張ろうと思いつつも、周りから冷たい声が聞こえてくるようで、恥ずかしくて、苦しいとも言えない。「何甘えたこと言ってるの？　何もしてないじゃん」

　ピ───────────────って感じだ。あの医療ドラマの、心拍がゼロになったときのアレだ。時折こうなる。前にも後ろにも進めずに、考えるだけでズダズダになるから、頭を全部止めなきゃならない。

　そういう夜にはラジオだ。人の話し声ってなんでこんな心地良いんだろう。つながっているのか、つながってないのか、グレーな距離感が楽だ。

　アコースティックギターの深くてやわらかい音と一緒に知らない歌が聴こえてきた。

　暗い話を　聞きたいが　笑って聞いていいのかな
　　思いだして　眠れずに　夜を明かした日のことを
　　同じような　記憶がある
　　同じような　日々を生きている
　　寂しいと叫ぶには　僕はあまりに　くだらない

　　　　　　　　　　　　　　（星野源『くせのうた』）

星野源、やっぱり君はズルい。

　閉じていた目からたらたらと涙が溢れて、鼻もぐしゅぐしゅに
なってしまった。ひとしきり泣いて、それなりに笑ってスッキリし
てよく眠れちゃった。

　こういうことがあるから、グズグズでダメダメな自分を丸めて捨
てる気になれない。なんとかして愛したいし、なんとかして愛され
たい。はぁ。ありがとうございます。

『くせのうた』星野源（収録アルバム『ばかのうた』）
JASRAC 出 2006662-001

『女に生まれてモヤってる！』

　こんなにもだらだら、来る日も来る日も嫉妬にまみれうらやましいうらやましいと繰り返して、同世代の女優を避けて暮らしているけれど、ただただ私は自信がほしいんだと思う。

　他人に認められたいと願う気持ちもあるけれど、今まで認められてこなかったかといえばそんなことはないし、むしろ「のっかりたい」と下心をもって近づく人から逃げることもあった。ただ自分で自分を認められない。

　職も夢も手放して“休憩中”の今は世間から落っこちた感覚だけど、そういう人は意外といる。珍しいことじゃないとホッとする半面、一日中何をするでもなく図書館に居座っている人を見て「こうはなりたくない」とゾッとするのも事実。下に見てるんだよね。自分はまだそっちじゃないと思ってるのも愚かしい？　自意識に殺されそう。

　『女に生まれてモヤってる！』を読んだ。中野さんてすごいスピードで本を出すからうさんくさい人なんかなと思ってた、スミマセン。「分かる〜」の連発で非常に面白かったし、やっぱ私間違ってないよね？　と思えた。女のコスプレ、してたときあった〜お金なかったし、自信もなかったから、男におごられる自分になろうと思って。

何回かおごってもらったけど、その何倍もの何かを削ぎ取られた気がして。もう二度とごめんだ。

　こんなふうに振り返れるようになったって、私、健康になったんだな〜。ニートだけど。（→これは決して調子にのっていないから叩かないでください、というハンズアップの姿勢。本当はこういうのもやめたいんだ）

　あんまり自分のことを「女」だと思わずに生きてきた。男らしくふるまうことで自分らしさだと思おうとしてきた。だから女として扱われるとクッソむかつく。

　きっかけ？　元をたどれば、スカートめくりが流行った保育園の頃がそれにあたるんだなきっと。すごく嫌だったから、一人称を"オレ"にして、男の子とばかりつるんで、かわいいものや服を嫌った。

　足を開いて座る。歩き方が男っぽいことを注意されてムカついたので絶対直さなかった。このままでいても OK、と認めてもらうためには、一番でいなきゃいけないと思って……いた……。

　あれ!?　そうなんじゃない。もしかして私、それで自分にも他人にも厳しすぎるんじゃないの!?

　この一番にならなきゃ強迫観念と自分の創作意欲（というか仕事が好きだからやりこみたいという欲求）が混ざっちゃって死にかけてきたんじゃないの？

元々の性分かと思ってた。ちゃんと見極めないとなぁ。なるべく身軽に生きたいし。

"女性らしい心配り"で評価されてるバラエティ系のタレントとか見ると「ホントやめてくれ!!」って思ってしまうものね。そういうので成功されても困るんだけどって。同じ感じでこじるりも女子に嫌われてると思うんだけども、こじるりは前に木に引っかかってるスズメを一緒に助けてくれたから悪い奴じゃないと思ってる（実話です）。
　そんなモンだよな——世の言う"女性らしさ"に当てはまる人が悪なワケじゃない。

　それでもまだ落ち込むし、ひどいと死にたくなっちゃうけどとりあえず40まで生きればしんどくなくなるかもしれないから、自分らしさを収入に変えられる術を見つけなくては。スーさんも中野さんもすごく生きやすいステージにいるように見えてとてもうらやましい、そっち側になりてぇ。
　この本で一体どれだけの人が楽になったことか。それだけでも、自分がしんどかったイミあるじゃんね。
　このメッセージを発信する側になりたい。

『女に生まれてモヤってる! 本当は「自分らしく」いたいだけなのに』ジェーン・スー／中野信子（小学館）

『メタモルフォーゼの縁側』

　これはエッセイではないのだから、綺麗にオチをつける必要はないのだ。あくまで私の「悔しみ」をぶつけるのが目的なのだから。なんつって、「ないのだ」とか「なのだから」っていう言葉選びをしている時点でもうこれは敗けている。完全に自意識に支配されちゃってさ。

　ダセェのなんのって。盛大にスベりたおしている。この文章をまだ誰も読んでいないのに、あーいつもこう、いつもこうだ。ほんの冗談というか、気まぐれというか、そんな名すらつかない、誰の記憶にも残っていないひとことを真に受けて、ぐちゃぐちゃで生臭くて田舎っぽくてつまんねー文章を書き連ねて、「ネタにもならねぇ」とか「自己陶酔がエグい」とか言われて笑われて資源ごみにされて終わりなんだろ。

「好きなものを好きっていうのも／綺麗な人をうらやましいと思ったり／将来はこうなりたいみたいのとか／そういうの／全部恥ずかしい／疲れる」

　鶴谷香央理の『メタモルフォーゼの縁側』第34話のこのセリフ。そう。そ——なのよ。はずかしい。わかる。
　もしかしたら私にも出来るかもって。すごくなくたってこれを形

にしてみるのは悪くないかも。そんな淡い、あわ────い、あれ、朝霧？　ぐらいの自尊心を持ったかと思ったら途端にコレよ。はずかしい。

　でもこのセリフの主である主人公の子に「そんなことないよ、大丈夫だよ、君の感受性が無価値なんてこと、あるわけない」って背中をさすりながら励ましたいと思う自分もいるのだ。(のだ!! 怒)

　一人で自尊心保つの難しい。多分、肯定してくれる他人が必要だ。家族だけじゃどうにもならないタイミングってくるじゃん。それは必ずしも恋愛でなくたっていいんだよ、きっとね。
　この主人公と BL 漫画という共通の趣味で出会ったおばあちゃんみたいに。名もなき信頼関係がきっとある。

　私にはねぇから、今んとこさ。だから今もシャレたブッックカフェで書いているよコレを。スカした顔で「朝もや、って漢字どうだっけ」ってスマホで変換したよ、さっきも。じゃなきゃ小っ恥ずかしくて書けねぇよこんなん。この店は食器トレー返す制なのか、置いてっていいのか分かんなくて帰れねぇよ怒怒怒。

『メタモルフォーゼの縁側』鶴谷香央理（KADOKAWA）

以下、自意識の暴走

　バイト先の本屋が閉店することになったので、今日は新しいバイト先に入社前面談、あ、説明？　行ってきた。
　採用担当の女性、非常にお綺麗な方。ふわっとしたスカートにノースリーブニット、明るい茶髪のボブ、オフィスカジュアルという服装指定に散々苛立ち、頭を悩ませてきた私とは正反対に軽やか。私はユニクロのグレーのブラウスに黒のパンツですよ。ベタとスクリーントーンかって感じの、地味なのに圧迫感のある仕上がりだよ。もう一目で分かるよ、公開処刑。それなのにさぁ！　やたらと容姿を褒めてきやがる。シュッとしててカッコイイ、美人、綺麗、云々。
　あのォ〜バカにしてますか。もしかして。

　これを真に受けたら終わりだ。面談のあと、イケメン上司とあのブスまじで照れててウケるんですけどとかってあざ笑ってるに決まってんだから、こんちくしょう。
　フツーに落ち込むわ。自分が美人の部類じゃないことくらい知っとるわ。そういう方向性のディスりか。てか会って間もないのに容姿に言及するのってどうなん。美人だなーとかカッコイイなーとか思っても言う？　それ。
「美人だよねー」「そんなことないですよ」「え、めっちゃモテるでしょ」っていうテンプレ要る？　うざくない？　めんどくさくな

い？　バラエティトーク番組やってんじゃないんだからさ。素人だ
ぞ我々。ほんでもって何、え、お返しせなアカンのですかってなる
のがキツイ。

　他人に美人だとか綺麗だとか若く見えるとか言いたくないんだ
よ。
　バカにしてるみたいだから。でもなんかアレじゃん。ラリーをす
るのがルールみたいなとこあんじゃん。ダリィな儀式。
　そう思いつつ「お綺麗ですね」「そんなに大きなお子さんがいらっ
しゃるんですか？」っていうテンプレストレート球打ってる自分が
サムイ。もうホントこれ以上、自分のこと嫌いにさせんといてくれ
よ。も〜〜〜〜〜〜〜〜〜〜〜。
　これでもし本当にフツーに褒めてくれてたら自意識過剰で死刑。

中退コンプレックス

　平庫ワカの『マイ・ブロークン・マリコ』を読んだ。はいはい天才、これ天才ですね。センスのお塊かよ。なぜ？　これが？　無料で読める？

　不思議だなー。ボクには全然分からない。これ作者はなんぼのほど儲けとんのじゃ？　私がジャスティン・ビーバーだったら「My favorite comic」つってリツイートかまして爆速でバズらせてその素晴らしさに大金を与えられるのに。

　映画みたいなコマ割り（『BANANA FISH』みたい）、キャラの表情とか身体の動き方も良いクセがあってもう好き。なんかちょっと『フリクリ』っぽいよね。ホントマジでいちいちセンスいいな。苦しみながら描いてくれていなきゃあ割りに合わねえと思って、作者のTwitter見たら生き辛そうで安心した。とても共感する。

　川端康成の『雪国』を読んだときも感じた。「この人、生き辛いのでは？」太宰とか三島よりも断然生き辛そうだよね。

　あ、Twitterさかのぼってたら短大中退だというのが判明したよ。刺激される「中退コンプレックス」ズギュウウウウン!!　ジョジョは読んだことない。

美大、芸大出の人って感じない？　中退コンプレックス。

「中退した奴の方が天才」

　はい、私日芸卒なんですけど、クドカンとか代表的すぎてね。爆笑問題のお二人とかもね、中退ですから。学生時代から売れてる奴はガッコウ来ねえもん。

　卒業してても売れた人は在学中にぶっとびエピソード残してるよね。多摩美だけど竹中直人とか……学バスの中で毎日MCと一人コントしてたってね。

　時代が違う。授業に真剣に取り組むことでしか得られない技術もある。もちろんその通りで中退して売れた人たち全員が"中退して良かった"なんて思っているワケでもないだろうし、中退が売れる条件なワケないんだけども、迫りくるのよ。「真面目に授業受けて、普通に卒業できてしまった自分の凡人さ」が。

　中退した方が箔がつくような気さえする。どうせなんにもないんなら中退しときゃ良かったかな、なんて思う時もある。みんなそれらしくありたいから無理して「ちょっとヤバい奴」的な振る舞いをしている奴もいた。その下心も分かる。だって皆、フツーなの怖いもん。たぶん、オレたちの中に天才はいないって分かってたけど誰

も言わなかったね。

　さァてそんな天才と凡人の違い、コンプレックス、生き辛さが錯綜する『左ききのエレン』がドラマになるんだってね。原作は完結済みだけどリメイク版の連載を読んでいるので、この物語がどう着地するのかは知らない。

　凡人が凡人のまま人生に歓喜するのを祈り待つような自分もいるし、そうでない自分もいる。凡人にとっての束の間のなぐさめではなく、もっと強い人生賛歌もしくは辞世の句であれ。

　お分かりいただけますか、私の頭の中のしっちゃかめっちゃか具合を。典型的な女性脳だって？　一緒にすんじゃねーよ。

『マイ・ブロークン・マリコ』平庫ワカ（BRIDGE COMICS）
『左ききのエレン』作画：nifuni / 原作：かっぴー（ジャンプコミックス）

『腐女子のつづ井さん』

　SNS発のコミックエッセイ、死ぬほどあるけど書籍化したのが売れるかっつったらビミョーなんだよな。しかしこの『つづ井さん』はとても売れている、すげー面白いし実際。

　オタクカルチャーがどんどん普及して、いまや全日本人オタク化的な、オタクであることがはずかしい、みたいなのだいぶなくなってきたじゃん。オタクの声がデカくなってる。オタクはオタクであることを楽しんでる。ついにはオタクがオタクを楽しみはじめた？"オタクってサイコーじゃん"が描かれてたんだよね。作者も読者もオタクだから。何回オタクって言った？

　特にオタクの中でも『つづ井さん』は腐女子という村に属す。いや腐文化はそれなりに昔から大々的な市場規模を誇っているんだけど、ずっとひた隠しにされてきたキングダムなんだ。あるんだけど、ないように扱われてきた。MI6みたいに。取り上げられるとしても、ディスりの対象としてだったよねー。それが最近、腐女子であることが異常ではなくなって登場人物の設定としてフツーに扱われるようになった。腐女子、人権を得た。これ、腐女子が腐女子であることを堂々エンジョイしはじめたんだよね。この腐女子の自己肯定力上げてんのがTSUDUI☆だと思うワケよ。ここまで一息です。

この腐女子ライフを赤裸々に描いたコミックエッセイ、一切自虐していない、ココ！　大事‼　すごく‼　すごいこと‼　おめでとう。私もそうでありたい。

　腐女子もそうでない人も読んで面白いし「腐女子めっちゃ楽しいジャ〜〜〜〜ン☆」って思えるもん。良いよね。すごく良いです。

『腐女子のつづ井さん』つづ井（KADOKAWA）

『凪のお暇』

　終わっっっちまったよォ〜金曜のご褒美が終わっちまったよォ
〜。
　いや普通に明日もバイトだけど。フリーターなんて年中お暇だ
ろ？　うるせーわ。これが精一杯じゃボケ。このドラマの何が素晴
らしかったって、視点角度の多さですよね。

「は？　何こいつ、クソ野郎じゃん！」「こういう女いる〜ムカつく
〜」って思う人物も、あとの話で弱点や理由や苦しみが見えてくる。
　はい、スミマセン、私が浅はかな見方をしておりましたァって
反省。空気読みすぎてぶっ倒れた主人公の凪ちゃんを取り巻くモラ
ハラ彼氏の慎二、真面目さが怪しい方向に傾いている坂本さん、マ
ウント女子足立さん、みんなそうやね。敵視して申し訳なかった。
　凪ちゃんの代わりに慎二の彼女にされた市川さんも、美人で大阪
営業トップ、エースの彼氏とオフィスラブーって激強カードの最強
手札かと思いきや、"美人"でモノカウントされ一人の人間として
ジャッジされない被害者であった、と。この裏返し方サイコーだっ
た。慎二が執拗に「顔がカワイイ」って言ってたのは、ここに繋がっ
たんや……きっと視聴者は身の回りのあの人、この人をキャラの中
に見出すでしょう……。
　かつ、イケメン二人に想われる一進一退の三角関係という王道展

開。それだけで充ッ分観られるっつーのになんなんだ、この充実ぶり。つかキャスト豪華じゃね？　ムカつくわ。

　人にはいろんな側面がある。分かっちゃいるけどいちいち角度変えて見るほど丁寧に人と接してないし、楽だから表面だけでジャッジしてしまう。

『凪のお暇』は群像劇でしたね。原作はまだ途中までしか読んでないけど同じコナリミサト先生の『珈琲いかがでしょう』も視点角度の多彩さが印象的だった。キング・オブ・クソだったキャラがいつの間にやら、健気(けなげ)に見えて応援したくなっている。

　この切り取り方の違いだけで気付かせてしまう。普段の日常をつまらなく思っていたのは、自分がたった一台のカメラでカットも割らずに撮影していたからなんだ、と。

それが 私には できん
ズルイよ マジで

　語りすぎないにはどうしたらいい？　クソー

　こんな話作れるなんてもう絶対人間好きじゃん、いいなぁ———。

『凪のお暇』脚本：大島里美（TBSテレビ）
原作『凪のお暇』コナリミサト（秋田書店）

『邦キチ！ 映子さん』と、『MONSTERZ モンスターズ』

『邦キチ！ 映子さん season 3』で取り上げられた『MONSTERZ モンスターズ』。

　この映画、マジでヒドいんだよな。大好きな石原さとみが出てんのに高速バスの中で観て衝撃的だったよ。つ、つまんねーーー!!!!

　同じ脚本家の作品調べてみると『進撃の巨人』『GANTZ』『ガッチャマン』……ほうほうほう（いずれも主要な役者は豪華なんだよな）。

　しかしまさか『邦キチ！』で再会するとはな。邦画キチ〇イの映子さんが、ひたすらに愛のある邦画プレゼンをするという狂った漫画なんだが、悔しい！　こればっかりは悔しい。

　知ってたもん、この映画の威力。

　基本的にヤバそうな邦画は、高速バスで死ぬほど暇を持て余さん限り避けて通るやないか。そのヤバさを前のめりに楽しむという発想がなかった。ポジティブに褒めて魅力として語られているのにこのビンビンに伝わるヤバさ！　逆に観たい！　もう一回観ようか。

　こういうヤバい映画を撮っているときの現場ってどういう空気なん。全体的に誰のせいにするん。

でも邦キチのプレゼンを聞いて（見て）いると役者への好感度は
なぜか上がるんだ。よくぞ投げ出さず、やりきってくれた……みた
いな。出演するだけで名誉な作品のオイシイ役のオイシイシーンで、
大したことねえ芝居して俳優面してる奴より数億倍良いよな。そこ
はマジでホントうん。もし私がメガホン持つなら、一緒に死んでほ
しいもん、俳優も。邦画で頑張る大人たちカッコイイよ。

　ただこの漫画は、どこからも怒られていないのかということだけ
気になる。

『邦キチ！映子さん』season 1～4 服部昇大（ホーム社）
『MONSTERZ モンスターズ』2014 年製作／監督：中田秀夫／日本

『SEX AND THE CITY』

　おはようございます、Twitter で「新人　つかえない」と検索して自分の悪口らしきものがないか確認する出勤前です。新しいバイト、すごく向いていないから辞めようと思っています。なんで掲載内容と違う仕事内容でも「仕方ない」んだろうね。今日、辞意表明してこよ。新人ってつかえなくて当然だけどーすごくストレスのはけ口にされそうな気がしてこわー。そらみんなあんなブラックな勤務してたら八つ当たりしたくなるよね。そうだよね。私の頭が赤かったら何も言ってこねえんだろうけど。クソが。

　とはいえ、金が稼げんのはキツイ。それはそれで死にたくなる。口だけは一丁前に言いますけどね。自立したい。
『SEX AND THE CITY』略して『SATC』。途中まで借りて観たんだけど、どこまで観たか分からなくなってしまった。あれもう一回観なおそうかなとか思ってたんだけどさ、シリーズ１が 1998 年ってスゴくない？　私、４歳じゃん。アメリカ、めっちゃ進んでますやん。

　あー、自立したい。あれ観てるときってもうアメリカ人気分でさぁ、オーディエンスなんよね。あの HAHAHA とか Oh 〜って声入ってるやつ、あれになっちゃってんだけどさ。あれまじで都市部

の持ってる女たちの話なんだよね。NYのど真ん中でデカいテーブル席どかーん座って大きい声でしゃべってる時点で、異次元 of 異次元。所詮、オラの村とは別んとこの話だべ、日本のビミョーな郊外に住むフリーター（明日からニート）には余計に無関係な話だわ。観るのやめよ。

　あっそっか、まず恋愛って自立してなきゃできねんだ。はーあ。なんの話？　そう、あんね、入社2日目にね「彼氏いるの？」って聞かれたのね。死んでくれん？　ホントごめんだけど私PMSでクッソイラついてんだわ。恋バナ(ってフレーズごと燃やしたい)って世間話のうちの一つでしたっけ。なんでそんなことテメェに教えてやんなきゃなんねぇんだ。

　私の恋バナ嫌いは10代の頃からずっとで、このごろはアセクシャルの可能性も感じつつ生きております。でも、ま、大抵の人はそんな不快じゃないんだろうからさ、別に恋バナ自体すんなっとは言わんのやけどさ。オレはオマエの友だちか？　ちげーだろ。トークショーでもねぇんだよ、今お仕事の時間ですよね？
「あ、いないんだーへぇー私ぃ、こないだ婚約してぇー」
　テメェが話したいだけかよ。ここでブチギレです内心。知らねっ

つの。大体てめぇにも興味ないのに、てめぇのダンナなんかますます興味ねぇよ。つか話すなら面白く話しな？

　もし『SATC』の四人が仕事で成功してなくて、ファッションセンスもイケてない、八王子の独身女性だったら？（八王子ごめんな）こいつらの恋愛話なんかキョーミないよねぇ。いいか、オマエはサラ・ジェシカ・パーカーじゃねぇ。そして私はオマエのミランダでもサマンサでもシャーロットでもねぇ。話がとっちらかってる。

　いつまでも 1998 年モノの作品を恋愛バイブルにしてちゃ無理が出てくるな。でもなぜか『ブリジット・ジョーンズの日記 2 』を観て泣いた。よくわからん。恋愛も辞意表明したい。でも一人で生きていけるだけの経済力がない。え、死ぬしかないじゃん。
　働かせてください。今日は本当に人生に絶望している。みんなどうやって生きていらっしゃるのですか。いやホント死ねたら死んでる。ごめんね死ねとか言って……死ぬの大変だもんね……。

　女子は恋愛の話をすることでお互いを縛り付けていたように感じてた。感じてる。ん？　"私たち、これで親友よね？"みたいな。キッモ。同じだけ裸になれ、みたいなのあるじゃん。キツぅ。

『SATC』の四人みたいな、信頼関係があってこそ成り立つやん、恋バナ。それをほぼ初対面にふってくるってキツくね？　ホントキツくね？　キツいんスよ私は。しかも「月イチの飲み会で、もっと突っ込んだこと聞くから〜」じゃねぇんだよ。

でも嫌ですって言った？　私、言えてないね？　ダメだよ、それじゃあ。だから今日言おうね。そうそう、今日言って辞めんだ。すみません、私の方が不適切なんで辞めますって。

どこでなん生きていけんだよ

『めがね』とか『かもめ食堂』みたいな架空の閉鎖的ほのぼのワールドに連れてってくれよ。あの国が必要なんだ、私みたいな人間には。前に住んでた家の近くに『かもめ食堂』に出てきたシナモンロールを、完全に意識して作って販売してるパン屋があってな。食った。ゲロ甘でクソまずだった。最後まで食えたモンじゃねぇ。台無しだ馬鹿野郎。

『東京タラレバ娘』ってあれマジどこの話だったんだろ。誰に向かってしゃべってたんだろ。最終巻読んで「あっ、コレ私の話ではなかったのか……スマンかった……」って気分になった。『SATC』のラストもそういうふうになるんだろうか。だとしたらやっぱ観ちゃダメ

だな……。

　あーどうしよう完全に迷子だ。子どもって歳じゃないのに。悔し
みをつづるにも、自己肯定って要るんだな。潔く認めればいいのか。
自分の落ち度を。どっちもできてない。我慢するしか道がないなら
もう死にたいです。でも中野信子さんによれば"40歳まで生きる
と寛解する"ケースも多いらしいので出来れば40まで粘りたいと
ころです。NYか、東京か、フィンランドか、与論島か……八王子
か……。そのどっかしらに住める人間になりたいね。どっかしらに
ね。

　まずは友だちが……ほしいね……。

　そして仕事も……ほしいね……。

　開き直る元気なくなっちゃった。PMS期のこの乱高下、ホント
めんどくさいでしょぉ〜そうでしょぉ〜。私が一番めんどくせぇわ。
とにかくどこへ行っても私が間違っているんだ、というね、感じに
なるから。早く解放されたい。

　なんで『SATC』の四人はあんなに強いんだろう。強く見えるだ
けかな？　紙を無駄にしている……そんなこと言うたら本末転倒や
……とりあえずさらけ出しとき……。

今んとこね、今日辞めるというのは私の前向きな選択。社会的には後退ですが……。

　どこにも行きつけなかったら死のう。40まで16年か。

　わりとすぐだな。

『SEX AND THE CITY』（HBO）

『東京タラレバ娘』東村アキコ（KC KISS）

『バレエボーイズ』

ノルウェーでプロのバレエダンサーを目指する3人の男の子を追った
ドキュメンタリー映画。

素人目にも、この3人のうち誰が上手いか「なんて すぐに分かって
しまってツラい。その抜きん出ていた1人が やっぱり外へ出ていって、
みるみる顔つきが変わっていくのも、なんかツラい。
オスロに残った側として見ちゃう。

それでも友だち で、 でいられるの、スゲェな。
私 無理だわ。嫉妬しかしないもん。

『セルゲイ・ポルーニン ダンサー、 世界一優雅な野獣』も観たけど、
あれはちょっと鼻についたので『バレエボーイズ』に軍配。
なんの比較やねん。

あれだけしっかりサポートしてくれる学校があるのは 正直
うらやましいと思った。
"リトル・ダンサーは意外と多いんだよ"って。ほー、マジかー

なにクサってんだろうな、私

なんでも いいから また作ってみろよ

『バレエボーイズ』2014年製作／監督：ケネス・エルヴェバック／ノルウェー
『ダンサー、セルゲイ・ポルーニン 世界一優雅な野獣』2016年製作／監督：スティーブン・カンター／イギリス・
　アメリカ合作

『ウドウロク』

　朝の情報番組の身内感に腹が立つ。知らねえよ、お前らの仲良し事情は。オフィスカジュアルを地でいく奴が数人いてもいいが、全員である必要はねえ。

　つーか、そんなひな壇にわんさか乗せて出す必要があるのか？

　大したこと言わねえクセにただ黙ってニコニコしてちょっとうっかりアウト気味の発言しちゃったコメンテーターに何事もなかったかのような微笑みを添えつづけるだけの自分にあなた嫌気がささないのですか？

　セクハラに耐えてきたことを誇られても困るんですよ。ホントね、上の世代の人たちは息をするようにセクハラしてんだ。これはもう仕方ないと思うのよ。そりゃセクハラはダメさ！　ダメだけど、その人たちには分かんないんだもん、何がセクハラなのか。だから我々がいちいちキレてさしあげなきゃね、いかんと思う。父には毎回真剣にキレるようにしている。会社でそんなこと言ったらお前アウトだからな、と。全員、セクハラしないのは勿論、セクハラに対してキレる責任、あるだろ。私という個人をさしおいて、女なんだからこうだろ、と雑な扱われ方をすると「私は"女"なんかじゃねえぞ」と爆発的に怒り狂ってしまう。持っているスカートを全部捨ててやろうかと思う。ねえ、アナタに耐えられても困るんですよ。

『ウドウロク』読んで、正直がっっっっかりしたんだ。あさイチんときから大好きな有働さん、セクハラなんて気にしない、どんと来いみたいに言われても困るんですよ、と。

　だけどそういう世代の人なんだからこれもまた仕方ないのかと寂しく思っていた、ら！　このあいだのzero!! セクハラを取りあげたトピックの際、「こういうセクハラまがいの発言が許されてしまうような空気を作ってしまったのは我々の世代の責任、申し訳ない」とハッキリ視聴者に向かって発言されてた。

　アッッップデ———トされとるうううう!!
　ホント感激しちまった。アップデートしてんじゃん！　スゲェ!!

　こういう意識をアップデートしてくの、言うてめっちゃ大変だと思う。じゃなきゃいまだに根強いワケないじゃん、人種差別。『それでも夜は明ける』観たかよ？　あれエッグイぞ、まじで。『グリーンブック』と比にならんぞ、ひどすぎる。途中何度も絶望した、「人ってこんなにも簡単に間違えるんだ」って。普通に家族を愛して、自然を慈しむような"善い人"さえも、黒人の命・尊厳を踏みにじるんだ。どん引き。それだけ普通のことだと思っているんだもん、差別を。怖。

人種差別と性差別を同じ列に並べるのは極端か？　そんなことないよな。うん。両方怖いよ。傷ついてないワケないよな、ごめんなキレて。そんなスカートはきたくない日もあんだろうよ、早朝に毛先を跳ねさせたくない日もあんだろうよアンタにも。それを違う満たされ方で補おうとしないで、怒ってくれると助かる。キレる元気がないなら代わりにキレるからさぁ、言ってくれよなマジで。

『ウドウロク』有働由美子（新潮文庫）
『それでも夜は明ける』2013 年製作／監督：スティーブ・マックイーン／アメリカ・イギリス合作

『アイ・フィール・プリティ！ 人生最高のハプニング』

　言いたいこと全部言われました。スーさんと高橋さん※に。みんなにこの映画、今観てほしいの。DVD 持って家におしかけたい。

　色んな人の顔がよぎった。君にも君にも君にも観せたい。あーそれほど、今求められているメッセージがきっちり収められてた。くうう。だからこそラスト、ちょっと急ぎすぎたのが悔しい。あとどキャッチーでパワフルなメインテーマを付けたかったアアアアってくずおれている。だってこの映画を待っている人、超いっぱいいるもん。

　男性諸君もそうだぞ。『ハンサム★スーツ』とは違う話だから安心して観てくれ。自信を持ってほしい、私は自分に自信、ないけど、あなたのことは大好きだからそんなに嫌わないで。この世の美しさってそんなちっぽけなことじゃないハズだから、何度語りかけても届かない頑固な君に、この映画でダイレクトアタックしてぇ。

　スーさんも言ってたんだけどさぁ、この映画、頭打って自分の姿が超プリティに見えてる主人公の"プリティ像"が、一切出てこないところが本当に本当にスゲぇのよ、それってこの映画がやりたかったことの一つじゃないかな。たぶん"プリティ像"が見えてたら台無しなんだ。美醜の基準がまるで法律みたいに見えてきちゃう。

そして同じエンドを迎えても観客の心の何割かに「でもカワイイ姿の方がラッキーだよね」ってささやきが残るんだ。それほどに我々にかけられた呪いは強い。

　前にブチ切れた『プリンセスと魔法のキス』っていうディズニー様の映画を思い出した。呪いでカエルの姿になった王子、元に戻るにはプリンセスのキスが必要、しかしプリンセスではない主人公とキスをしたせいで呪いはとけず主人公までカエルに……ほんでまぁケンカしてた二人も冒険を共にするうちに惹かれ合い──という王道展開で「カエルの姿のままでいい」と結婚して口づけを交わします。すると人間に戻るんだよね!!　私それが気に入らなくってさぁ、喜んでんじゃねえよ！「カエルでいい」は!?　ホントは嫌だったんじゃねーか。せっかくたどり着いたカエルOK精神、かなぐり捨てて喜ばんでくれ。私がカエルとしてその場に居合わせていたらブチ切れている。

　いや、分かってる、この映画にとって大事なのはそこじゃない。前時代的なプリンセスストーリーで支持を得てきたディズニーが、頑張って新しい女のコの物語を用意してきたんだ、一人ひとりが元からプリンセスだっつってね。カエルポイント以外全部良いもん！

地味なんだろうけど、キラキラポジティブ愛最強説が苦手な人間でも楽しく観られるディズニー映画。ミュージカルシーンも大人向けだと思うよ。オシャレ。色合いも渋いもんね。黒い肌のヒロインってだけでも、日本人が思う以上にディズニーは超がんばったんだろうし、気に入ってたのさ、やるじゃんディズニー！っつって。だからもう人間に戻るラストは当然なんだけどさ、ひとひねり無いのでしょうかって。う──ん。少なくともカエルは納得しないよ、そのラスト。キス一つで呪いが解けたらいいのに！　いや、解けるのか、でもまた呪われるんです、ウォーキング・デッド制だからこの呪い、美しさの基準、感染するから、うん。せっかく解けてもまた呪いをかける奴がいます。己の中にも、う～うう～。もっと話し合いたい。この呪いを解く一助になりたい。力が欲しいよぉ。

「美の基準なんて幻想だ」っていうメッセージは正しいと思うから黙って観ていられない。
　一緒にその船、漕ぎてえっす。

※「ジェーン・スー×高橋芳朗 愛と教養のラブコメ映画講座 vol.2」にて『アイ・フィール・プリティ！』を特集。
『アイ・フィール・プリティ！ 人生最高のハプニング』
　2018 年製作／監督：アビー・コーン、マーク・シルバースタイン／アメリカ
『プリンセスと魔法のキス』2009 年製作／監督：ジョン・マスカー 、ロン・クレメンツ／アメリカ

『俺の話は長い』

　もうなんなんだ、年末年始ってやつは。どうしてまた一年の終わりに落ちこみ一年の始まりに泣いてんだ。今年はみじめな思いをしないかもしれないと１ミリでも期待した私がバカだった。私のこの１年は酒の肴（さかな）などではありません。聞き流せない私は子供なんでしょうな。まともにくらって泣いている、もう25歳なのに。私は私で頑張ったなんて思ったあの数日間は何だったんでしょう幻？　まぼろし――ですか？　ちがう、こんな簡単に踏みにじらせてしまった自分に幻滅してんだ。何を動揺している、ホントにもう、そんなつもりなんてないんだ、相手には。

　あーでも、だれかかばってくれたっていいじゃないか。全国のフリーターおよびニートの皆様、今年もよくぞ生き延びました。色々と浮き彫りになる年末年始もあとちょっとで終わります。おえぇ。なぁみつる、君はどうしてそんなに堂々とニートしているんだい。『俺の話は長い』このドラマ自分に近すぎて家族とは観られなかった。めっっっっっちゃ良かったけど。こういう会話劇、いいなぁ――すげぇ羨ましい、小池栄子の懐の深さ、ご覧になりました？　あとあの、清原果耶。上（う）っ手（ま）。は？　上手いんだけど。どうした？　クッソ触れたくねぇ。会話劇は受ける芝居の上手い人がいないと、しつこくてうざいんだよね。はい上手いみんな上手いんん――。地味な

話に見えるのは仕方ないんだけど、30分1話完結ってのは時代に合ってると思うし、その尺できっちり話をころがし、オトしきるのも非常に上手い、脚本力をめちゃくちゃ感じるドラマだった。元気でる。う——わぁ——!!

　主人公みつる、大学中退して開業、即挫折、以来6年ニート、実家ぐらし。でも口は達者でわがままで、引け目に感じていることなぞなんっにもございません、って脱ニートを企て口うるさく言ってくる姉小池栄子に、3倍返しぐらいの屁理屈で対抗し意見を通すその強さ、一体どこから？　たぶん愛から!!

　引きこもってないんだよね、家族とも、近所の人々とも接して皆「しょうがねぇ奴だなあ」と言いながらも、みつるの不器用さを愛している。

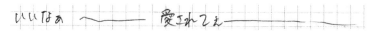

いいなぁ　　　　　　　　愛されてぇ

　そのあたたかさがうらやましかった。だから怖かったのよ、最終回が、みつるが選ぶ終着点を見せられるのが。「こうやって夢を手放しましょうね」っていうお手本なんか見せられちゃったらどうしよう。しかしまぁ、いっや——、良かったね。もうなぜこれを書いたのが私じゃないんだ？　ってくらいラスト、どんぴしゃ、あり

がとう！　くー‼

　スーツ着て面接に向かうみつる。外ではマラソン大会真っ最中、沿道の人々が出場者に向かってがんばれ、がんばれって声援を送るそのうしろを身幅縮めて通っていくみつる。

　この演出よ‼︎　オイ‼︎　そういうの大好きだバカヤロウ、泣いちゃう。泣いちゃうさこんなの。道の真ん中走って、正しく「がんばれ」を受け取れる人でありたかったよう、なぁみつる。

　ト書きによる演出っつうか、こういうの久しぶりにドラマで観たような気がして、もう、ああ〜ってなっちゃう。なぜ私じゃない（2回目）。色々あったんであろう関ジャニ∞の主題歌も、己の血肉を削って差し出しているようで合っていた。

　なぁみつるよ、今どうしているんだい。元気にしているかい。

　親せきの集まり飛び出して、一人で居酒屋に入っていったら会えたんじゃないかと思ってみたりして〜。財布も持っていなかった私は、家の前にとめてあった車の中で、家族が出てくるのを待つことしかできなかった。ダセェ。

　さみしくてリカちゃんでんわにかけてみたら、正月の幸せな家族像を底ぬけに明るく語られて余計に病んだ。

『俺の話は長い』脚本：金子茂樹（日本テレビ）

『逃げるは恥だが役に立つ』

　観てしまった『逃げ恥』を。

　こんなに面白いと心底嫌になるね。年末一挙再放送のせいでなんにも出来なかったわ。

　放送当時は教育実習真っ最中で観る余裕なかったし、超ブーム巻き起こってるから「へっ」って思ってた。恋ダンスは踊ってたけど。生徒たちの「『逃げ恥』おもしろいの？」「結構おもしろいよ」って会話、妙に覚えてる。結構おもしろいどころじゃないだろ、こんな社会への問いに満ちた、思考実験的っつーか、え、スゲェじゃん、このドラマ、オイオイオイ。

　原作は2012年からの連載って、はァー進んでるー進んでるよねー。"ムズきゅん"だけが魅力であるかのように聞こえていたけど、結婚・仕事・家庭・自己肯定、気になるワード満載、めちゃめちゃ考えてしまった。でもガッキーが星野源にチューした瞬間はやっぱりキレた。

　ほんともう野木亜紀子の脚本が完ペキすぎてヘコむ。もうやだ。原作のあるドラマの脚本の難しさってあると思うんだけど、全然ムリを感じないよね。この人、頭ん中どうなってんだろ。なんかさぁーすごく真っ当にやって、すごく真っ当に評価を得ているカンジがし

て。『重版出来！』も毎週たのしみにしてたなぁ。

　皆の"真っ当"の先がみんなこうだったらいいのに。ドラマ通して純粋に思ったのは消費する・されることと愛情のバランス、日々変動していく落としどころを毎日毎日探して、なんとかなるように試行錯誤するのが結婚というモンなのかもしれない。

　こんなこと2016年の時点で何十万人もの人が考えて思っていたんだろうな（悔）。なにフツーのこと言ってんの私。恥ずかしいね。

　蛇足になるか？　もう今更いいか。年末会った友人に『逃げ恥』がおもしろすぎてイヤになったという話をしたら「でも星野源ってそんなに演技うまくないじゃん」とおそらく私を励ますつもりで言ってくれたのだけどそういうことではないんだ、気持ちは非常にありがたいけど。

　まず、私はこんなに面白いドラマが作り出されていることに悔しみを抱き、怒っているんです。そして『マイ☆ボス マイ☆ヒーロー』の時から好きなガッキーと芝居であろうと恋仲になれる星野源にムカついているんです。ガッキーのラジオ『GIRLS LOCKS!』だって聴いてたもん。

　あと全てを棚に上げても全部ブーメランで刺さってくるからホン

トしんどいんだけど、たしかに星野源は演技が"巧い"と思わせる
タイプじゃないと思う。でもやるべきことをやっていないワケでも
ないし、変に着色しまくる下心もない、良いフラットさがあると思
う。特にアーティストの側面を持つ以上、フラットであることは重
要な仕事だと思うんスよ。

　思う、思う言いすぎだな。星野源はちゃんとやってるよ!!!　よ
くよく分かるのはあのとぐろターボの「見ないでっ!」シーンだな。
あれたぶん引きで見ても面白かったよ。ダイブするほどのテンショ
ンのピークをきちんと持ってきて成立させるのは、ちゃんとやって
なきゃできない演技だよ。

　この類の身体的にも心情的にもピークをもってくる演技、『マリー
ゴールド・ホテルで会いましょう』の、ひよっこホテル支配人が電
話をとるシーンでも良いのが見られたなーと思った。美味しい分、
難しいんだよ、知らんけど。

　この映画はキャスト豪華力＆インド行ってみてー感で引っ張って
くれるから、ぼーっとしたい疲れた中年には良いけど別にそんな、
う〜ん面白くはない。う〜ん面白くなくて良いんだろうけど、ビル・
ナイは『スカイライト』の芝居が最ッッ高だったから、以来期待値
が高すぎて困る。やっぱ脚本って大事なんだよな。ビル・ナイを最

大に活かす脚本をたのむよ。

　野木亜紀子脚本の女優、みんな魅力溢れ出てたもんな。ガッキーかわいかったなホント。『けもなれ』も良かったし、もうホント。もう、ガッキーのことは頼む……ってカンジ。何の話？
　誰かビル・ナイを活かせよー。私の脳内のビル・ナイが退屈している。勝手に退屈さして悪いな、ビル・ナイ。

『逃げるは恥だが役に立つ』脚本：野木亜紀子（TBSテレビ）
『マリーゴールド・ホテルで会いましょう』2011年製作／監督：ジョン・マッデン／イギリス・アメリカ・アラブ首長
　国連邦合作

流行りにのれない

　売れている小説を嬉しそうに買っていく人を見ると、うらやましいなと思う。全然、これといった本に出会えてなくって。このあいだも、相当面白いという触れこみだったから貰って読んだ本が、死ぬほどつまらなくてブチ切れた。お前らこんなものを褒めたたえて、なんて無責任な。予兆のない裏切りをどんでん返しだと言い張るんじゃないよ。同じような感傷にひたりやがって。

　嵐〜、ガレキ〜、炎〜みたいな強さは流行りじゃないらしいな。退場すべきはこちらですか。しょうがねえじゃん、好きな人の幸福より嫌いな奴が落ちぶれるのを楽しみに待っているような人間だもの。
　中学校の修学旅行で行ったディズニーランドで、ミッキーに抱きつけなかった時点でもう選別されている。「別に私は抱きつきにいくほどミッキーのことを好きなワケではないし」と、はしゃぎまわる同級生を遠まきに見ていた田舎の中学生の私よ……こんなのによく友達がいたなと思う。
　偉大な友人たちだ。中学までの友人は、ギリギリ「スタンド・バイ・ミー的友情」の関係にカウントできる気がする。
　"12歳だったあの時のような友だちは、それからできなかった。みんなそうなのだろうか?"

いつの時代もみんなそうだよ‼ だから『スタンド・バイ・ミー』はド名作なワケでしょう？　私、不変が好きらしい。くっそ——なんでスティーブン・キングは『IT』も書いて『スタンド・バイ・ミー』も書くわけ？　『キャリー』も『グリーン・マイル』も『シャイニング』もそして『ショーシャンクの空に』も‼‼　いや振り幅どないなっとんねん。まぁ、とはいえ今生きて今書いている小説家は、今を書くことも大切なお仕事だからね。去年人種差別の歴史を描いた『グリーンブック』が、トランプ政権下のアメリカでアカデミー作品賞を獲ったのもそうや。いつだったか『バードマン』が獲り、『グランド・ブダペスト・ホテル』が獲らんかったのも。いや全部映画の話やん。

　今＋不変こそ最強かもね。ふぅー。

　小説ん中でも特に不変が求められる児童書に魅力を感じてしまうのも無理はないな。年末に帰省した兄が私物を整理した結果、ゴミとして出された『竜退治の騎士になる方法』をひそかに自分の本棚に入れた。夏休みの読書感想文用に兄が買ったこの本、私の方が何度も読み返したと思う。

　十数年ぶりの再会を果たして、じっくり読み返してしまった。やっぱり良い本だ。お前センスいいな。書店員ならご存じ、返本できな

い偕成社だよ。さすがやん。そして今更、この本にちりばめられた
演劇要素にゾッとする。いつから私は演劇に呪われとったんや。

　お兄ちゃん、なんでこの本手放せるんやろう。流行りの小説も楽
しそうに読めるんやろう。第一志望じゃなかった会社で働いて、や
りたいわけではなかった仕事をして、将来を想像できるような彼女
がおるんやろう。「おれは竜退治の騎士やねん」と関西弁でしゃべ
るジェラルドの言うことを信じて、私はこの本を読んで以来ずっと
トイレのスリッパをそろえている。

　幸運なことに、就職もしていなければ金もパートナーもいない私
には 12 歳当時からの友人がいるし、私が私だからということ以外
に特に理由なく友人でいてくれていると信じているもんだから、今
日はギリギリ絶望せずに生きている。

『竜退治の騎士になる方法』岡田淳（偕成社）

『セッション』

　観たい映画が多すぎて困る。

『パラサイト』も『フォード vs フェラーリ』も『ジョジョ・ラビット』も。もうすぐ『架空 OL 日記』も公開だわ。アカン、金がない。

　バイトを変えて、また本屋さんに戻った。最低賃金だし週 3 だけど丁度良い。精神的にはめっちゃ丁度良いけど、金銭的には足りない。奨学金と年金とスマホ代でほぼ消えてゆく。もうすぐ花粉の季節だし、ってかもうやられてるから病院代がかさむかさむ……。見栄っぱりなので交際費も地味にくる。極力出かけないようにしても、避けられないものもあり、うーん。最近比較的元気だし、わざわざ正月休みにこちらに来てくれる友人もいたので、食事に行く機会もいつもより多かった。事態は深刻であります。しかしまぁ、金銭感覚の差を目の当たりにし、「ほぉ、」と思った。うーん。前に私と同じようなお金事情の友人が「金銭感覚の違うやつらとは会わない・遊ばない」って言ってたのを思い出す。うーん。わりに普通に稼いでいる友人が悪気なく海外旅行に誘ってくれて「ほぉ、」と思った。う———ん。でもどっちも友だちだから。いつか三人一緒に遊べる日がくるよねー、うんうん。

　最近こう考えることが多い。いつかそういう日がくるだろう、っ

て。焦って怒ってばかりいたから、こういう考えを選べるようになったのは良かった。単純に、現実は自分の想像の外に出て案外転がってゆくんだというのを、25年生きてようやく知ったからかもしれない。今が今のままなんて、そんなことはない、良くも悪くも。しかしまぁ、劇場で映画を観られるのは期間限定だから選ばねばなるまい、どれを観るかを。DVDのレンタルが始まればどれも借りて家で観れちゃうんだけども、大スクリーンで観たい！と思うものってあるじゃん？

　未だにスクリーンで観なかったことを後悔している映画が『セッション』。DVD借りて家で観て、しまったァァァァって頭抱えた。この音、緊張感、劇場で観たらきっと震えていた。くぅぅぅ。予感はしてたんだ、川越のスカラ座でロビー入って上映時間まで待機してたとき、私のお目当ての1つ前で上映中になってた『セッション』の音だけが聞こえてきたのね。もうラストもラスト、あの息もつかせぬドラムソロ。

　"どうやら良い映画らしい"というウワサだけは耳にしていたものの、ヒネてるからずっと疑ってて、ロビーで音もれを聞いてはじめて信じたね。コレ絶対良いじゃん、って。音楽経験、特にブラバンとか、ピアノ教室とか通ってた人なら、吐き気をもよおすのでは？

というほど身に覚えのある緊張感。『フルメタル・ジャケット』並みの間断なき罵倒、ただの理不尽か？　いや正しいんだ、この鬼教官・フレッチャー先生の言ってることは。「狂気的な師弟愛が描かれている」？　そんな感想、馬鹿馬鹿しいね。これは"体験"する作品だと思うわ。唾を飲みこむこともためらわれる緊張感に支配されて、エンドロールまで観終わりロビーに出てようやく、うわぁ〜っと息を吐くような体験。したかっっったぁ───あ───。

　はァーァ、でも一つだけ観に行くとしたら『架空 OL 日記』なんだよな。だってアレを、あのテンションのあの内容のものをスクリーンで観るって、おかしいでしょ？　そのおかしなことをやるための映画化でしょ？　だって絶対 hulu とかネトフリのテンションじゃん。それをわざわざ劇場で、っていうこの行為・体験を含めての作品なんだよ、知らんけど。あーたのしみ。

『セッション』2014 年製作／監督：デイミアン・チャゼル／アメリカ

私はすぐ命懸けになるから、そうでない人が美しい、心底。
だって挫折しないもん、いいよなぁ

なんでかすぐに身を削ってしまう。バイトなのに時間外に
作業するし、人にあげるものばかり買っている。
でもそれくらいだったらいいんだよ、好きでやってんだし。
（時間外に働かれるのは迷惑ってカンジの風潮にはマジ参ってる。
勝手に頑張るから ほっといてほしい。）

たぶんさぁ、重いんだよね、人生に。
人生もたぶん私のこと重たいと思ってるよ。

真剣になりすぎる奴は重たいんだよ。
合唱コンクールの時に気付いただろ皆も。
なるべく軽く振る舞うんだけど、本能的に熱くなってしまうんだ。
許してほしい。何に？分からんけど。

重たくなった分だけどうしても報われたいと思ってしまう。
思うぐらい許せよ、報われたいなんて思うのしんどいんだから。

全力でバットを振らない戦い方もあるって知ってるけどさ
腹が立つんだよ。自分が選べなかった方でやってる奴のことが
ムカつく。逆もそうだろ、だからそんなにしつこく言うんだろ、
「世間知らず」「プライド高すぎ」「現実見ろよ」
あーせめて酒か煙草が得意だったら 手軽に奇妙ちを
流せるんだろうに それすら 無い
現実なんか通帳開けばそこにあるわボケ

いつか体力が尽きて全力で振り切れなくなるんでしょうけど。

そういう人他にもいるよ、1人じゃないよ というのはわかってるけど
この虚しさには何の役にも立たんのだよ。

そういう人いるよねって言うアンタは私のこと愛してます？え？
ありがとうございますーありがとうございますー ね、今ね、

134

愛をいただきましたけれども
　ね、愛はいくらあってもいいですからね
(そう言いつつもいざ目の前にしたら ひきこもりそう)
M-1すーごく面白かったですね。ペこぱ みた時 デカェ声で
「新しいじゃん!!!」って言っちゃったよ なにあの解決方法
ナイツ はなわの『言い訳』読んだから余計に面白かった
いや 腕組んで「面白いわ」なんて言えないんだけどさ、
他人事なのに。照明と緊張で 視界が白んで お客さんの
顔がよく見えなくて、でも集中を切らしたら終わりで、
頭の隅で「終わっちゃう、終わっちゃう」って声がすんの 無視して
さあ、相方の首きくんだよ。そんで何ヶ回も言って口の筋肉が「覚えた
セリフ言うの。そういう景色を勝手に思い出して 泣きたくる。

互いの命綱 握り合ってんのよ。羨ましいね。
そんなとこに 憧れられる 迷惑かもしんないけど羨しいよ。卍

死ぬときは 一緒に死んでほしいんだ
客席でもなく、遠ーくのほうから「頑張れ」なんて よくそんな
無責任なこと言えるな
本当に無責任だ 非道だ 自分だけ 安全地帯に立って、人に非ず
応援するなら全力で頼むよ、おっこった人指さして
「あー かわいそう」なんて 残酷なことやめろよ、マジで

よってたかって 人の人生 採点しやがって

デカイものにキレすぎた。眠い。あやふやになる。全てが
お互いさまになって 無言になる。そういう話なんだ。ー

知り合いの知り合い、程度の人が お笑い芸人やっててさ、M-12回戦で
おちたんだって。その人がさ、M-1みて「めっちゃ面白かったー」って
言ったんだって。私、それに超ムカついたの。悔しがれよ、って。
それだけのことなの、正直。名も知らぬ人にキレてみたの。
こんなに長々書く程のことでもな。カッコつけたかったの。もう寝るね。
　　　　　　　　　　　　　　　　　　　　　　ねるねるねるね

135

ケンドリック・ラマー

　東京に行く※のが怖い、明後日。

　スベリたおしたらキツいな、しんどい、こんなの。とどのつまりボクは暗くて陰湿なひきこもりだから。このあいだバイト先のそばの専門学校がやってたオープンキャンパスにうっかり入っていって（だってお菓子が売ってるから見ておいでよってオーナーに言われたからさ）ひっさびさに思い出した。そうだ、私ってこういう人間だった。お祭り気分で浮かれて、大したことなんてないのに得意気に大きな声を出して、大げさに笑う皆々様の中でわざわざ疎外感を感じて一人になる面倒な奴だったわ。

　フィナンシェの１つも買う余裕がない。ATM で金を下ろす度に残高が直視できない、毎回「ひぃ──」って顔してる。あってもなくてもどっちでもいいような小腹を満たす甘いお菓子をわざわざ選んで買う余裕がないんだ、ごめんな。そうやってここが自分の居場所と信じて疑わずに廊下の真ん中でバカ笑いできるようなアンタが嫌いだよ、名前も知らないけど。あーこんな、自給自足のひがみ地獄に、東京でおっこちたらどうしよう。あーどうしよう。誰でもいいから私のこと守ってよなんて甘ったれた思いが、胃に。だってこのノートの上位互換なんて死ぬほどある。

　そんなこといったら本末転倒か？　やたらと K-POP をすすめて

くる大学の同期にも言ったな、「マイケル・ジャクソンの曲のがかっこいいよ」って。水をさして悪かったなとは思ってる。私は君の好きな音楽を否定するフリをして君を否定したかっただけなんだ。ごめん。私は今、私を否定したがっている自分ともみくちゃになっている。皆に正しく愛されていた君は、こんな泥水みたいな気持ちの殴り書き見て落ち込むか？　バカだなって笑うか？　それ以下？

　ケンドリック・ラマーの『u』だけ聴いてくれよ、もうそれだけでいいから。アイツ、ぜんぶ言いよんねん、オレの言いたいこと、もう。

　ラップには明るくありませんが、『ラップ史入門』は読みました。普段ヒップホップ聴かん人は、ケンドリック・ラマーの『To Pimp a Butterfly』ってアルバムから聴くのがオススメと書いてありましたんで、聴きましたらもうなんじゃこりゃなんだよ。

　アルバム丸ごとひとつ、コンプレックス復讐心自己否定嫌悪葛藤葛藤葛藤、それでもはいつくばって問うて問うてたどりつく一人の人間の物語になってんだ。

　つってもボクには英語が分かんない。それでもこの『u』は分かんなくても分かる、めちゃめちゃでぐだぐだな心情が。ラップって強者のものだと思ってた。このうしろで酩酊するように流れるのは

ジャズ？　ルーツやないか、迫害を受けてきた黒人の。なんとなく分かる、分かるでしょうほら、オレはお前が嫌いでこんなに憎んでいて、もう何にもできないんだって泣いてる。

　あー愛してほしい。愛したいなんて気持ちと相容れないモノ抱えちゃってるから全部ウソになる。

　ラップってこんなことまでしてんの？　すげぇ文学じゃん。

　ぼーっとしてたら全部持ってかれるぞオイ。

　Creepy Nuts の『オトナ』が『コタキ兄弟と四苦八苦』の OP になってるあたりもうすぐそこまでキてんぞって思うね。でもなんでラップ部分を丸っとカットしてんのかね。曲の印象が全然違う。

　まぁあそこが答えっつーか、ドラマで言いたいことをストレートに言っちゃってるからアカンか。

> ああもう できるだけ カッコつけずに いたい できるだけ
> スベりたくない できるだけ　無理なもんは 無理ってことも
> 受け入れるようにしよう できるだけ 心 オープンしよう
> たぶん そうしなきゃ 後悔すっから アルバムのラストまで
> たどりつこう 私

『u』Kendrick Lamar（『To Pimp a Butterfly』収録）
『ライムスター宇多丸の「ラップ史」入門』宇多丸、高橋芳朗、DJ YANATAKE、渡辺志保（NHK 出版）

上京

　つかれた。

　何につかれたって、自分の中で繰りひろげられる防衛本能による自己卑下と、少しでも気を抜けば浮き足立つ承認欲求の餓鬼との戦いに、です。書きつけているそばから全てウソのような気がする。引き返せないようにボールペンで書いていますよ。

　一日で何枚名刺をもらったんだろう。みんな正気なのか？　私は時給930円でバイトしている実家パラサイト人間だぞ？　この名刺をどうしたらいいのか分からない。社会人としての常識とか経験が全くそなわっていないことに今更気付いた。去年大型台風が来たときにカッパを着てバイト先まで歩いていった時の感覚を思い出した。

　身ひとつ感がハンパない。自分の肉ってこんなに柔くて頼りなかったっけか。折れた看板が飛んできたらサックリ切れて簡単に死んじゃいそうだった。

　なんか高いご飯たべたし。全然味分かんなかったけど。押し寄せる後悔。私すごい面倒で扱いづらくて邪魔だったろうなァ。ただただ挙動が不審で。もっとちゃんと面白い奴だったら良かったのに。ほんとナチュラルに頭が高かったと思う。

※ TBSラジオに送り付けたこのノートが「お悩み相談の結果報告」として読み上げられた。そしてスーさんが「これ、書籍化したらどう？　出版社のみなさんお待ちしてまーす」と呼びかけてくださった結果、東京で編集の人と打ち合わせをすることになった。

『ラ・ラ・ランド』クライマックス、例の面接オーディションのシーンで物語から脱落して「私のような人間が観てはいけなかった」とバレないように肩を落として劇場をあとにした夢半ば人間、私以外にも沢山いたでしょう。でも今ちょっと、腑に落ちたんだよね。

　昨日の続きの今日なんです、本当なんです、信じてください。

　現実は変わらず同じ顔をしています。

　こんなに良い目にあっておきながら、夢に呪われた人の代表のようなツラして愛してくれと歌うのをお許しください。

　たくさん褒めてもらって嬉しいけど、これを後生大事に抱えて酒をのんだ時だけ「私だって昔はなぁ、」と語る未来が怖い。

私、ズリいな。おゝこがましーわ、ボケ。あーンの卑下、もうつかれる、やめたい

　私は昨日と何も変わらないんです、ということを分かってもらうには一体どうしたらいいんだろう。分らんからいっぺん寝る。

『さびしすぎてレズ風俗に行きましたレポ』

　久々にデカい書店をぶらついた。元アイドルのセキララなエッセイが積んであった。なるほど。さらけだしビジネスはわりかし多くの人がやっていますね。え、『蒲団』までさかのぼっちゃう？　田山花袋。

　コミックエッセイなんかは多いですね。特にSNSで気軽に投稿できるようになってからはなおさら。ちょっと前に話題になった『さびしすぎてレズ風俗に行きましたレポ』なんか印象に残っとりますな、やっぱりインパクトでかくて。結構重たく追いつめられちゃってるご自身の内臓を、ざっくざっく切り分けてフルコースで出してくれるからビビりながら読んだ。こういうのを出版につなげる担当さんってスゲぇな。つられてしんどくならんのやろうか。

　まぁそういったコミックエッセイのリアルさ・エグさの真逆を全力で駆け抜ける島袋全優の『腸よ鼻よ』なんかもう大好きだけどね。なにあのオリジナリティ溢れるギャグセンス、どこ産？

　一つヒットすれば瞬く間に似たようなものが湧いて出てくるじゃん、web発・SNS発って。

　コウペンちゃんだけでもどんだけ類似キャラおんのよ、だからエッセイってともすれば不幸合戦になりかねん。もっと本当のことを書かなきゃ、ってどんどんお肉削っちゃって。「ジャムおじさーん新しい不幸をちょうだーい」　あはははは何の話でしたっけ。

利用されて捨てられるのが怖い。めっちゃ怖い。

　それこそ私のこの数年間が完結して、転がっていかなくなってしまうような気がして。いや、待て待て待て待て、私の人生まだ続くんですわ。まだ全然、私納得してないんですわ。全てこれで良かった！って、伏線拾えてないのよ。

　幕おろせねえわ——ちょっとマジで。今自分の内臓再確認して、悩んでる。全部かっさばくのは、早くないか？

　ああ山里よ、幸せいっぱい山里亮太よ、君の人に出会う才能を分けてくれ。私のノートを拾ってくれる人が良い人でありますように。ちょっと待って『DEATH NOTE』のリュークが頭をよぎっちゃった。

　あっでも待って、そうなるとリュークって私の立場じゃない？

　あながち間違ってはない。

『さびしすぎてレズ風俗に行きましたレポ』永田カビ（イースト・プレス）
『腸よ鼻よ』島袋全優（KADOKAWA）

振り返ると

　花粉の薬を半錠飲んだらもう眠い眠い。今日は夕方から用事があるからそろそろ覚醒せねばなるまい、だが眠い、もうどうにも眠い。自分でアラームをセットできないくらいに眠い。だから「OK、グーグル。5分後に起こして」とスマホを握りしめて言ったんだ、珍しくも。

　それなのに何故かうちのグーグルは日本語の音声入力は設定されていないだのなんだのよう分からんことになって、あれこれいじるうちに目が覚めた。不服だ。

　しかしながら平和な日々だ。だってサァ、オレはサァ、ちょっと前は、もうとにかくなんでも良いからオーディションに受かりたくて、あんまセンス無さそうだなぁって劇団のクソみたいなオーディション受けに行ってたんだよ、金もないのに遠くまで電車乗ってって、オーディション受験料なんつーのまで払ってサァ、バカみたい。「あなたは何人客呼べますか？」ってアンケートにまで答えて、何だったのあの茶番。そんなのにすら落ちて、まじゲロ吐きそうだったわ、後々毎日のように吐くんだけど。はっはっはっは。

　生きててよかった、死ななくてホントよかった。
　悔しみノート書けるの、才能だよって言ってる人がいた。

まじ？　もっと早く言ってよ。全然知らなかったんだけど。あー
あ。1時間以上かけて付き合いで観に行った公演が死ぬほどつまん
なくて、泣きながら帰ったなァ。

　悔しくて悔しくて、あんなのに金かけた自分が悔しくて。つまん
なかったし、寒いし、おなかすいたし、金ないし。

お前偉っそうに 振り返ってるけど、
別人にでも なったつもりか〜？

対岸の私が 見ている
そんな気がする。

『コタキ兄弟と四苦八苦』

　新型コロナウイルス流行拡大を受け、いたるところに影響が。私の苛立ちもここ2ヶ月あたりで最高潮をむかえている。

　すっからかんのスーパーにドラッグストア、パンパンのカゴを持った人にとんでもなくムカつく。SNSで「正しい情報です！」と眉唾情報の拡散に加担する人、目を覚ませよ！とブン殴りたい。今日の時点で正しいと言い切れる感覚のヤバさ自覚してくれよ、キミの友達の友達が言ってること信じる義理ねぇから。キミには悪いけどその友達の友達すげぇ嫌いだわ。頭悪い。

　25歳、本当に厄介なもので、まだ一度も挫折をしていない奴の声がまだまだデカイんだよ。そんな奴がなぁ、そんな奴が人のことを励ませるなんて思うなよ、一体何を見て生きてきたんだ。会話の合間に英単語をはさむな、いちいち変換すんなよめんどくせぇ、いつまでもサムい選民意識を持ったままナチュラルに他人を見下している、ふざけんなよ。

　私は真剣にお前らを見下している。自覚して見下しているから一緒にすんな。そういう奴は大抵未だに大学のゼミ仲間とワインを飲んでいる。
『コタキ兄弟と四苦八苦』の第6話がまさにそうだ。"世間縛苦"！

このドラマさぁー、毎話毎話、しっっっかり小テーマが組まれて回収されてすごい丁寧よねぇ──。ホント毎度イヤになるほど「それ私も思ってたァ──」ってなってる。くっそォーそんな構成の話もできるの？　各話見せ方を変える、遊びを入れられるその余裕にも悶える。そしてぶん殴らない、野木亜紀子はぶん殴らない、私と違って。優しさというより賢明さなんだろうけど。

　私にはその賢さが足りねえから、毎日毎日怒って文句言って嫌われて、それで終わりゃいいけど傷ついている。ドMかよォ──病だと思うよマジ。「取捨選択は自由だけど善意による混乱も起きているし、拡散を頼まれても、SNSで発信源になるのは避けて良いんじゃないか」とわざわざ口を出し、友人に「忠告ありがとう」とドライとも取れる返答をたまわりガッツリ凹んでいる。言わなきゃよかった。あーはやく賢い大人になりたい。誰の苦しみも余裕で抱きしめられる人になりてぇ。四苦八苦をひと通り味見すればそうなれるでしょうか、ねぇ。

『コタキ兄弟と四苦八苦』脚本：野木亜紀子（テレビ東京）

『BLUE GIANT SUPREME』

『BLUE GIANT SUPREME』の10巻を読んでまんまと泣いた。毎回のように泣いてはいるけど今回は本当の本当にやられてしまった。テナーサックスだけ持って、宮城から世界に飛び出してジャズを極めていく主人公・ダイの情熱的なドラマを見て胸を打たれながらも同時に挫折感を覚えてきた。BBCのドキュメンタリーかと錯覚するほどリアルな人物描写、物語の合間に入ってくるインタビューシーン、次々駆け上がっていくダイの"ザ・主人公"みたいなサクセス・ストーリーも現実的なものとしてしっかりハラに落としこめる。

　だからこそ思っちゃうんだよ、問うてしまうんだよ。
「オレはここまでやれていたか？」「私と彼の何が違う？」「もっとアイツのように振舞うべきか？」
　分かってるんだ、圧倒的に自分を信じる力が違うんだ。
　それでもさ、ホラ、あくまでコレ漫画だから。めっちゃリアルだけどフィクションだから。実在しないからまだね、見て見ぬフリできてたのよ、挫折感を。
　それがどうだい、10巻、私の気持ち全部拾いやがる。
　うぅぅぅぅくやしい、こんなに拾われてくやしい
　なんでだ!!　なんで全部拾えるん？　イミ分からん。どうしてこ

んなに本筋から枝分かれしたところにまで、しっかり踏んでも壊れない強度のある物語をつくれる？ 『岳』もめっちゃ良かったじゃん。ハ？ 登場人物多いとさ、徐々にうすまっていくのよ、バックボーンが。それがフツウじゃん。それに、後から出てきた敵対する人物に「実は良い奴」とか「彼には彼の葛藤があるんよ」みたいなエピソードをぴょっと挟まれると、すごい信じられなくなる。ピンと来ない？ よくあるじゃん、弱小運動部がなんやかんやと全国制覇する系の漫画に。そーいう粗さが見当たらん。そしてもう音楽が聴こえる。

　粒だったジャズドラムも、内臓に響くベース、跳ねるピアノ、ぶん殴るサックス、画で全部聴こえるね。『BECK』の映画と真逆の現象です。

　漫画という形がベストなんだよね、それが何よりスゲェ。それホント、ホンッット大事だと思うんですよ。物語を乗せる媒体は沢山ある。映像なら映像でしか、文章なら文章でしか、舞台なら舞台でしか出来ないことをきっちりやられるともうそれだけで、「キミ、ときめいているね」って思う。キモいかな。

　だってさァ、文句と陰口でナワバリつくって、毎回大酒飲んで片付けるように作られていたんだとしたらムカつくじゃん。転職してくれよ。

『BLUE GIANT SUPREME』石塚真一（ビッグコミックススペシャル）
『岳 ―みんなの山―』石塚真一（ビッグコミックス）

どうしても忘れられない、ピーター・ブルックの舞台『ザ・スーツ』。限りなくシンプル、物のない空間で俳優が見事に演じていく。彼のスーツに袖を通して、その香りにうっとりと頬をよせながら踊るあのシーン、タバコと汗とホコリの匂いも熱いくらいのぬくもりも腰に添えられた手のひらだとかそういうの全部分かるんだ。彼はいないのに、彼女は一人で踊っているのに！　あの名演は舞台でしかあり得んのじゃ……。

　うわー、ピーター・ブルック、94歳だって、やべぇ。The Empty Space※の後継者はいるのか？　94でもときめいてんのかなぁ、舞台に。

　私は今日も（父とはケンカしたけど）元気だし、（鼻にクソデカニキビもあるけど）自分は自分だと思う力も少しばかりあるし、感動して泣くくらい創作のこと愛しているから、作ろうと思うんだよね。

　何になるかは分からんけど、このノートが出来たんだからね、何かしらにはなるでしょう。

　散々やる力がないことを嘆いたし、やれる時に尻込みするとクッソ後悔することも知ってるから元気なうちにやっちまおう。今は主人公らしくなくとも、とりあえず人生は続いている。

※ The Empty Space　演出家ピーター・ブルックが唱えた、何もないゼロの空間は無限の可能性を作り出す芸術空間であるという考え方。
『ザ・スーツ』原作：キャン・センバ、モトビ・マトローツ、バーニー・サイモン／演出・翻案・音楽：ピーター・ブルック、マリー＝エレーヌ・エティエンヌ、フランク・クラウクチェック

2回目の打ち合わせ

3月19日

はじめて日付を書いたぞ。

今日は出版社の方と2回目の打ち合わせをしました。沢山しゃべった反動で手が震え、ここ数週間感じていなかった激しい自己嫌悪の沼に、ふくらはぎくらいまでつかっています。

思い返せば今日という日にストレスを感じていたのかもしれません。PMSにはまだ早いのにでっかいニキビできたし、父にはイライラしまくってケンカするし、そのせいで母はつかれているし申し訳ない。

今死ぬのがベストかもしれない。もしかしたら本が出版されるかも、知らない人の傷をいやせるかも、生きてきたイミ、あるかも、の希望が見えてきたところで幕を下ろした方が、それぞれの解釈ができるじゃん。

バッドエンドの可能性があるならその直前でやめてしまいたい。友だちが欲しいなぁ。それはつまり、ただ都合よく楽しく騒いで忘れてしまいたいという非常に卑怯な考えで、そんなことに本当の友人を巻きこみたくないっていうのが本音。だから一人だ。忘れてしまいたい。私に良いことだけ言って。好きだって言って、味方だよって言って、って甘ったれたれな自分がいることを忘れてしまいたい。

泣けてきた。

　母が死ぬのが怖い。私を愛してくれる人がいなくなってしまうのが怖い。そうしたらもう絶対生きていられない。でもなかなか死ねないから、どうにかして母が死ぬ前に他の人から愛してもらわないといけない。そのためには、かっこつけてちゃいけませんよと分かっているのに、口を開けば嘘ばかり出てくる。

　西加奈子の『i』を読んで、そうだよなぁ、この物語はそうだよなぁ、これが正しいよなぁと思うのに主人公に怒りがわいて私が納得しきれなかったのは、愛をそんな簡単に受けとれてズルいと思ったからだ。私のせいです。スミマセンでした。

　せっかく向けてもらった愛を信じられない。「面白かったよ」が受け取れなくってもっと強く強くおしつけて無理矢理手に握らせてくれなきゃダメなんです、もらえないんです。

でもそれってすごい恥ずかしいじゃん。すげえ欲張りじゃん。だから何にも言わんけど。本当は超〜愛してほしい。

卑屈仲間がみんな消えたんですよ。バカリズムも山里も若林もみーんな結婚しちゃって。最悪だよ。一人にしないでくれよ。友だちだと思ってたのに。ロールモデルを失い絶望中。みんな愛されてズルい。

　愛は信じられないクセに、批判は真に受けるんだよね。いやだなぁ。世にモノ出しといて批判ゼロなわけないじゃん。あーこわ。また別の地獄がはじまるのかなぁ。

　物語を着地させたのは祈りに近いんでしょうか、西加奈子。地獄を見る勇気がないと書けませんかね、世に向かって。世には向かいたいです。できるだけはやく。うーん。

　でもそうやって、見えた希望の先に進んで着地したとしても、私のような人に「納得できない」と怒られるのがこわい。ていうか、愛よりもそっちが大きく心に届くとやべぇ。危ねぇ。ぜったいそうなる気がする。

　まもられてぇ―――。

　つかれた。何も考えたくない。健康になりたい。全部勝手にうまくいけばいいのに。

　あ、私って一人じゃ生きていけないんだ。

　と、改めて気がつくのでした。寝る。

『i』西加奈子(ポプラ文庫)

『レディ・バード』

　この映画、避けてきた。

　だって、これを「多感すぎる女子あるある」とかって評してる人がいてさ。そぉんなね、私っぽい話っつーか、そういうの材料にされたくないんスわ。ほんでもってグレタ・ガーウィグでしょう、脚本・監督。怖いよ。彼女主演の『フランシス・ハ』でとんでもなく心えぐられたからね。急所をやられんのが怖い。

　あと主役のレディ・バード役のシアーシャ・ローナンが主演した『ブルックリン』は高評価を耳にして観たのに激怒して終わったから。あんなふうに、ただズルいだけの人間が手札そろえるだけそろえて一枚選ぶのを"人生の苦悩"みたいに描かれたって困るんだよ。アバウト・タイム男がかわいそうだろうが！　観れば分かる。

　でもさぁーTポイントカードの更新しなきゃでさー。特典で1本タダで借りられるっつーからさぁー。どうせなら高い新作か準新作借りたいじゃん。その中でまだ観てなくて、ある程度おもしろそうなのが、もうねーコレしかなかった。あんまりえぐるなよ、とビビりながら。青春の痛みをえぐりすぎる映画って結構多いじゃん。特に邦画な。フランス映画もですか？　もうず──っと怒鳴ってるか、アウトローなセックスに謎の解を求めるやつ。あれもまたボ

クは手が足りないと思うワケよ。なんつーかな、描きこみが足りん
みたいな。観る前から止まらねぇな文句が。

　で、どうだったかっていうとね。あれ？　思ったより良かったん
じゃない？　うん。そんなに厳しくなくて、全部終わりじゃなくて、
すーっとそのさみしさも飲みこめる。痛すぎてひぇーって目を覆わ
ずとも最後まで観られた。なぜこんなに落ち着いて評してるかっ
て？　メイキングが良すぎたんだよ、チクショウ！

　グレタの瞳を見ただけでなんか泣けてしまった。なんて美しいの
よ。
「間違えても大丈夫、続けて」
「何をしても大丈夫、あなたたちを愛しているわ」
　俳優たちを見守る彼女、ううう、涙が出る。なんて清く正しい幸
福な創作現場。正解、まじ大正解、おめでとう、幸福な俳優たちよ。

　この現場にどれほど自分が恋焦がれているのかを思い知った。出
会いたくて出会いたくて、たまらんかったのです。いや、こういう
空間を作りたい。私、知ってるもん、これが理想、こういうところ
から生まれた作品を愛したい、やらねば……やらねば……。

あっ えっ ちょっと待って 今 私 ひとりじゃん
えっ ってことはさあ 私が私のグレタ・ガーウィグに
ならなきゃいけないんじゃない？

あっ ムッズ ────

でもどうにかしてえな
自分を、今の自分を他人に昇華なんてさせられてたまるか

『レディ・バード』2017年製作／監督：グレタ・ガーウィグ／アメリカ
『ブルックリン』2015年製作／監督：ジョン・クローリー／アイルランド・イギリス・カナダ合作

寺山修司

　郵送するはずのブツを取り違えて、郵便局までガンダした。"ガンダ"って古いんかな。自転車の鍵を持って出たのについ走り出してそのまま行ってしまった。久々に感情が身体を乗っ取った。寺山修司なんかはこういう激情の身体で演じられるべきなんだと思う。

　何年前？　つかこうへいの『飛龍伝』観た時、もうこれを演じられる俳優いないのかもって思った。精一杯のエネルギーなんだろうけど全然足りとらん。その体にその種類の怒りはない。あの年代の若者に同情こそすれ共感はしな……ん？　違う。賛同、はしない。それは関係ないか。いや、分かる。その怒り、身に覚えがある。だけど、覚えのない人間がやっている。もう怒り狂って帰った。周りは全然怒ってなかったけど。お前らに何が分かる‼って。

　ついこの間にも、寺山のホンが下敷きの舞台がやったらしい。

　何が書を捨てよ、だ。ふざけるな。そんなふうに軽薄に笑って、宣伝してんじゃねーよ。せめてその矛盾に顔をひきつらせな。お前に！　一体！　何が分かる！

　まんまとのぞき見て怒って世話ないわな。

　結局大きい郵便局に電話して謝り倒して、ブツを取り替えさせてもらったわ。そんなことが出来るくらいには大人になってしまった。私は寺山をやらずに終わるんだろうか。せめてもう誰もやるな。

『飛龍伝』原作：つかこうへい
『書を捨てよ、町へ出よう』原作：寺山修司

『エデンの東』

　もし私があらゆる侵害に正しくブチギレることができたならこんな苦労はしないんだ。生理予定日3日前、私のアゴにはニキビができ、数ヶ月分のあらゆる怒りが押し寄せそうでどうしようもない。苛立ちにマジで頭がどうにかなりそう。

「〇〇さんは女性だからキャパが小さい」と女性の私に他の女性の悪口を言った男性。当然のように空の茶碗を差し出す父、当然のように受け取って飯をつぐ母、煙草買うとき「3ミリ」しか言わねぇ客。あのとききちんと怒らなかったツケが回ってきて、今すぐ壁に額を打ち付けたい気分です。

　最近母がすぐに謝るようになった。面倒だからだ。面倒くさそうに「ごめん、ごめん」って仕方なく謝る。そんなふうに怒りを許されたくなんかないんだよ。

　昼間に観た『エデンの東』のジェームズ・ディーンがよくなかった。あんな苦しみうねる背中と子どもみたいな泣きっ面、すがりつくようなハグと "I hate you"。せっかく忘れていた執念、渇望がぐわんぐわんに煮え立っちまって身体に悪い。そうか、倉本聰の『拝啓、父上様』ってこれのオマージュだったのか、チクショー。

どんなに努力しても自分を愛してくれない父親に抱きつきながら
"I hate you" と言い放ち家を飛び出す、セリフと動きが真逆のあの
ワンシーンを観ただけでも分かる。言葉にしようのない熱ーい何
かが彼をのたうち回らせるのが。10代のうちに観なくてよかった。
ギリギリ踏み留まれずに飛んでっちゃったかもしれない、私。
　"怒る私を仕方なく許すことで無視しないで" この核心を突かれて
たら危なかった気がする。人の怒りは6秒しか持続しないって言っ
たのは誰だ。私の怒り、時を超えるんだけど、もしかして私人間じゃ
ない？　獣ですか？　そうですか。

　残念ながら映画のラストは気に入らなかった。私まだ全然そこに
行けないよ、キャル。

あー　よかった　ようやく落ちついてきた。
1、2時間ずっと怒ってて バランスボールに殴りまくってたけど
全然 おさまらなくて焦った。 はらわたを仕舞おう。

『エデンの東』1954年製作／監督：エリア・カザン／アメリカ

アンミカは良い奴だから

　学生時代、早朝にバイトをしていた。夕方は稽古があるし、その後に働くエネルギーは残ってない。早朝の時間帯なら本番期間でも休まずにバイトが続けられ、大学のすぐ隣だったから講義に遅刻する心配もない。

　で、バイトのある日はいつも4時に起床すんだけども、冬だと日の出前で、深夜よりも底冷えして、なんだかめちゃめちゃ心細い。怖がりだから必ずテレビをつける。どのチャンネルも物寂しく、通販番組ばかり。早朝という時間帯に配慮してか、ジャパネット的ハイテンションも無く淡々としている。紹介される商品も代わり映えせず、同じVTRを編集違いで何度も何度も流される。
　これがホントに気が滅入る。お隣に文句を言われないよう足音を忍ばせながら身支度をし、30分後には刺すように冷たい空気の中、真っ暗な道を歩いて駅に向かわなきゃいけないのがどんどん憂鬱になって、世間とずれた生活の不安がもわあっと湧いて寄って来る。

　だけどアンミカが出演してる日は別。なんだろ、なんだろうねあの声。真似したくなるでしょ、あの話し方。「こちら勿論内側にもポケットがついております。しかもひとつじゃないですよ、2つ、3つ、4つ。そしてチャックで閉められる。これ意外と見落とされ

がちなんですけれど、女性にとっては大事なポイントですよね」前傾姿勢での全力アピール。

　今日日、通販番組なんてさ、どこかビビってんじゃん。一昔前ほど適当なの売ってられない。脇で盛り上げ隊的に出演しているはずのタレントも不用意な発言を恐れて一線を引いているからか、謎の気まずさがある。そこをスパーンと切り裂くアンミカボイス。あっぱれ。「この上品な艶。かわいらしいフォルムでもこの上品さがあるからどんなお洋服にも自然にフィットするんですね」この人だけ回転数が違う。

　通販番組で元気出るって何？　でもなんかシャキッとするんだもん。姿勢のいい声。他の人の説明にも相槌打ちまくって、いや、撃ちまくってトークのテンポを加速させていく。あれはパー子師匠の「はっはー」であり、釈台を叩く扇である。さらに時折巻き舌が入る。「なかでもおススメなのがこのお色（巻き舌）、パープル（巻き舌）ピンク」パープルピンク！　それはちょっと攻めすぎなんじゃないの？「このパープルピンク、いま世界的に流行のお色なんです。お洋服に取り入れるにはちょっと難しいけれど、バッグだったらサッと差し色。はい見てください、秋冬で暗くなりがちなファッション

がこのバッグ一つでパッと華やぐんです」なるほど！　はあ確か
に、うちの母親が持ってるバッグってどれも地味な色ばかりだから
一つくらいこういうのがあってもいいかも。そして今なら同じ値段
でパープル(巻き舌)ピンクのバッグインバッグまでついてくると
畳みかけるアンミカ。前回のご紹介時には真っ先に売り切れたから
と早急な決断を迫るアンミカ。満を持しての送料無料、30分限定
1000円引き。もはや清々しい。さて……次の商品も気になるけど
そろそろ出発の時間。といった具合で、講談を一席聞いたような充
足感が、寒さでこわばった身体にエンジンをふかしてくれる。だか
ら彼女の姿があるだけで、反射的に嬉しくなったものだ。

　テレビで見かけるたび、周囲に「アンミカは良い奴だから」と意
味不明な距離感で発言するのは、こうやって孤独な早朝4時を一緒
に乗り越えてきた相棒のような気がしているからです。あの時はあ
りがとうアンミカ。

キムタクと日曜劇場

　前にもちょっと『検察側の罪人』の話をしたと思うんだけども、ニノと酒向さんのシーンに限定して話してたのでキムタクも良かったよ、とつけ足しておく。

「キムタクって何やってもキムタクだよね」って言う奴いるじゃん？

　スターにはスターの仕事があるんだよ。物語を引っ張っていく説得力。多少の粗、現実との乖離(かいり)をその存在感でばちこーん！と打ち消してくれる、どアクセルなわけ。

　真摯だよね。この映画観てめちゃめちゃ思っちゃった。自分がどう見えるとかってのがない、欲がない。ただ作品の推進力に徹している。

　なんだかんだと言っていた人間たちも、『グランメゾン★東京』観てるんだろ？　正直に言っちまえよ。観たかあの TBS 日曜劇場との相性の良さを！　ですよねー！ってカンジ。

　もはや日曜劇場はさ、その思った通りの気持ちいい勧善懲悪展開を待ち望んでるわけさ。今度はどんな水戸黄門が見れんのかな？って気持ちでその枠のドラマを待ってるでしょ。ニチアサ的な愉しみ方よ。次はどんな仮面ライダーかなって。でもその愉しみ方を分かっていない人たちからは蔑(さげす)みさえある。ハイハイ、薄味版半沢直樹ね

～、って。実際ただの二番煎じでは苦戦するし。やっぱり何か大きなアクセントがなければ。そこに木村拓哉ですよ。ドン！が見えるね。ワンピースの効果音の「ドン！」が。拓哉キャプテンの清々しいほどの主人公っぷりにスタンディングオベーション。

　この人の存在は脚本家の力になると思う。この人でどんな物語を作ろうかってワクワクさせてくれるよ。グラメ的に言えば最高に魅力的な食材。ちなみにこの最高食材キムタクを自由自在に操れるゲーム『JUDGE EYES: 死神の遺言』をちょっとやらせてもらったら、はちゃめちゃにおもろかった。無意味にコンビニを破壊させた。楽しい。ひどいことさせてごめん。

　書店で池井戸潤作品をサラリーマンのおじさんが買っていくと物悲しい。ごめんな、こんな正義が勝てる社会じゃなくって……みたいな気持ちになる。なあおっさん。信じたいよなあこういう話。キムタクは信じさせてくれるからさ。ほんとありがてぇよな。ああいう俳優をもっとみんな、稀有だなあって大事にしてやんなよ。個性派ばっかり擁護してんじゃないよ。あんなの見た目がトンチキなだけじゃないか。

『グランメゾン★東京』脚本：黒岩勉（TBSテレビ）

『談春 古往今来』

　ワタシ根っからの悔しがり人間。物心ついたころには既に悔しがっていた。記憶している限りでの一番初めの悔しみはあの教育番組での『パジャマでおじゃま』。幼子に自力でパジャマに着替えさせ、その様子を音楽と共に見守るあのミニコーナーを、私は抜き打ちテスト的に行われているものと思い込み、いつでもこいよ！と意気込んでいた。うまくボタンがとめられない子どもを見ては私のがもっと上手にできるのに、とイライラしていたのをよく覚えている。

『はじめてのおつかい』にも嫉妬していた。私ならちゃんとおつかいできるのに！　早く私におつかいをさせろ！　そう息巻いてようやく人生初のおつかいに出してもらった３歳の私は、ソースの購入を頼まれ、見事業務用のクソでかサイズのソースをえっちらおっちら持ち帰り笑われた。いや、私の目の前で笑いはしなかったが後々そう聞かされた。そりゃ笑うにきまっている。なんて微笑ましい悔しがりっ子なんだ。だけどそれが可愛いのは小さいうちだけだ。

　歳を重ねると、当然ながらその悔しみは恥ずかしくってひた隠す。ていうか、悔しいと思うのも情けないというか。だって高名な人間はそろいもそろって「周囲を気にしたことなんてない。ただ自分を磨いてきた」って言うじゃんか。悔しいってんなら何かやりたまえよってことです。はい知ってます〜分かってます〜出来たらやって

ます〜出来上がる前に自信のなさにぶっ潰されてるから何にも生ま
れてこねぇんだろうがクソが!! 自信があって何でも踏み出せるて
めぇと一緒にしてんじゃねーぞこら、こちとら生まれつきの根暗プ
ライドエベレストなんだよ、なめてんじゃねーぞ。そんな正論なん
てな、俺には全く無関係だ。

　本当はみんなそうなんだろ? なあ、そうだろ? 頼むよ、そう
だって言ってよ。ホントに何とも思ってないの? なんつー孤独、
地獄、ひとりきりでわめきちらせりゃまだいいけど、そのたびに顔
も知らねぇどっかの誰かに内臓抉（えぐ）られる。私、生きるのに向いてい
ないのでは。見るもの触れるものほとんどすべてにクソが! と思
うなら私が死んだ方が早いのでは。それでもしがみつくみたいに生
きてるのはこれをどうにかして愛したいと、愛してくれよと惨めっ
たらしく願っているからでございます。だってそれが人生だって聞
いてますもん。私のこのデロデロの悔しみだって意味があるって、
何かに生まれ変わる時が来るって。

「俺達の商売も若い奴等は自信に満ちあふれている。いや、あふれ
ているように見せないと誰も耳を貸してくれないという嫌な時代
だ」

「結局皆んな本当は自信がないんだよ。それを素直に出した日にゃ馬鹿にされちまう。心の中じゃ『あいつも俺と同じだ』と確認してホッとするくせにうわべだけは何も感じないふりして、時々皆んな一緒に騒いで、飲んで、疲れて、あきらめている」

　って、立川談春が言ってた、てか書いてた。『談春 古往今来』に載ってた。そういうのは私が言いたかったのに。だらっだらと私が書き連ねたこのにっちもさっちもいかねぇ思いを、きっちりと輪郭のある文章に仕上げて、胸に来るけどちゃんと笑える距離をもたせてくれちゃってる。

　分かってたのに‼　知ってたのに‼　先にやんないでよもう‼書いたの 2008 年？　早くね？　もっと早く出会いたかったよこんちくしょー。

　『赤めだか』は以前文庫化の際に読みましたけども、それはそれはもう良かったね。本を壁に投げつけたくなるくらい良かったよね、ふざけんなよ‼　処女作‼⁉　文章めちゃくちゃうめぇじゃねぇか‼　鮮やか。自分が今やっていることの恥ずかしさで死にたくなるほどに見事。下心の無い、もしくは見えない、シンプルなのに温かく滔々と流れるようなリズム。これが落語によって為されるわざ

ですか。ほおーん、まじ無理、やってらんねぇ。最高。全部良すぎて引用したらキリがねぇ。

　もしも本当にこれを読む人がいるなら、いいか、カタルシスを得たいなら立川談春の落語の方がよっぽど早いぞ。知らないからな。愛せよ。後生だから。一人ぐらい愛してくれよ。

『談春 古往今来』立川談春（新潮社）
『赤めだか』立川談春（扶桑社文庫）

身から出た錆

　身から出た錆、という言葉が会話の中で登場し、錆と鯖（さば）って似てるなと思い、身から出た鯖、を連想し、スマホのスケッチアプリで上半身から鯖が突き出ている人間の絵を描き、気に入ったので待ち受けにした。

　ただ、鯖がみぞおち辺りを突き抜けているので、「身から出た」感があまりないかもしれない。でも絵的にはまぁ面白いのでそのままにしている。

　まだ誰にも「その待ち受け何？」って聞かれていない。はやく「身から出た鯖です」って言いたい。

　大学に戻りたいなと思うのはこういうときだな。

　毎日当たり前のように友達と会って、一日に何回も笑っていた。今は友達に会う機会も自分で作らなければないし、そんなに久しぶりに顔を合わせた人に「身から出た鯖です」なんて言っても「バカじゃねぇの」とは笑ってもらえないだろうなあ。さみしい。

　このあいだ夢に大学の先生が出てきた。いつも不機嫌そうだったし、不機嫌そうに振る舞っているのが嫌いであまり話したことはなかった。でも言ってることはよく分かった。言ってることが全然分かんないけど親しげに振る舞う人より全然いい。

　で、私は劇場に観客として訪れて。そしたら客席じゅう高校生ば

かりで。うわーやだなー校外学習とかぶっちまったなーって自分の席を探して彷徨ってたら、先生がいた。

　あ、先生、と反射的に言ってしまって、やべぇ公衆の面前で塩対応されるぞと身構えたら「おー久しぶりー」となんとも気さくに返された。どうやらその先生が演出した芝居だったみたいで、会場中の高校生がそわそわしてこっちを見る、とこで目が覚めた。

　あれが深層心理なんだとしたらすごく恥ずかしい。私は演劇に歓迎されたいんだ。

　まじ笑えねー、鯖がみぞおちを貫いて出てきたんならまだ笑えるのに。

　今台詞を読めといわれても、たった一言仕上げるのに３日はかかるだろうな。いや、それでも足りんかも。演劇の筋肉のようなものはすっかり錆びついて、舞台に立つ自分を妄想するだけで足の指がギンギンに冷える。

　わびさび、のさび、は、錆ですか？　ググろ。ちがったわ。全然違ったわ。

志村うしろ

　最近の私は非常に軽やかで。悔しみノートを書いたというプチ達成感を得た私は「振り返りすぎずにやってみる」という、なんかこれまでとは違う筋肉みたいなのがついたようで、ちょっと長めの創作のブツを書き上げちゃったりしている。

　演劇やってきたくせに文章書いてるなんて、別の土俵にずかずかと上がり込むようで下品だよね。でもいいや、自己満、どんとこい。達成感を美味しくいただき、私は少しずつ筋肉をつけて、もう一度歩く。

　一度決めたことは、やりきれる。この感覚、ものすごく久しぶりだった。ダメならダメでもいい、と３ミリくらい思えるようになったのもデカい。以前は達成できなかったら生きる価値なし、と思ってたから。私はもう自分を見限りたくはない。あれはマジで最悪。

　夜中までこちゃこちゃと書いて、若干寝不足の頭のまま「あー早く帰りてぇ」とバイト先のレジに立っていた時、聞いた。志村けんの訃報を。

　かなり重たく響いた。がっくり膝をつきたくなるくらいにショックだった。この間、店に来たおじさんに「俺はさあ、志村はもう死んじゃうんだと思う」って世間話のノリで言われて、ふざけんじゃ

ねぇぞと内心キレていたばかりだった。あいつがあんなこと言うから。あー、嫌だ。志村が死んじゃうなんてそんなの絶対に嫌だった。昼休憩でラジオ聴いてたらもう一度ちゃんと、アナウンサーの声で訃報が。今度こそもう逃げらんない。志村けんは死んだんだ。

　帰りの電車で元野球部とおぼしき男子高校生複数名が、濃厚接触しながらタピっていやがった。馬鹿野郎。大馬鹿野郎どもだ。お前ら、志村けんが死んだんだぞ。最寄り駅につくまでの15分、いろんなコントを思い出しては涙をこらえていた。雷様、もしもシリーズ、家族コント、柄本明とのコンビは最高だった。ドリフの早口言葉、修学旅行のコントと早着替えのコントは特に大好きで何度も何度も観たなあ。「あんだって？」「とんでもねぇあたしゃ神様だよ」
　家につく前にスーパーでレッドブルを買う。帰って昼寝して、今書いてるのを完成させるまで寝られないんだ。夜中の3時くらいまではかかるだろう。

「絶望は明日に先送りにする。それが生きるコツだよ」これは野田秀樹の『カノン』沙金の台詞。シアターイーストでやった。懐かしい。リハの出来が悪すぎて悔しくて袖で泣いた。

テレビやラジオを遮断して、書き終えた。早朝4時。終わり。頭がぐらぐらする。終わった。

　さあ、私は一体何を頑張ったんだろう。深く考えてはいけない。読み返すのもよそう。自分のために書いたんだ。志村けんの死を悼(いた)まずに、とりあえず書いたんだ。馬鹿馬鹿しい。だけど私は生きねばならんのだ。

　追悼番組で懐かしいコントの数々を観た。オチどころか台詞の音程まで覚えているコントばかり、なのに笑える。ああ、すげぇなあ。これだけ演者の人数がいて、観客がいて、なのにこんなに早いテンポで進むコントはなかなかない。日本中が身内だから「身内笑い」もない、最早(もはや)。こんな領域もう誰もたどり着けないんじゃないか。「来るはずのものが来ない」「来ないはずのものが来る」そのシンプルな構造で人は十分笑えるんだ。コントってすげぇ、面白いしかっこいい。タイムスリップして「志村うしろー!」って叫ぶ子供になりたい、ああ。

　もしまた舞台をやるんなら、絶対笑えるやつをやりたい。コントが良い。軽やかな私は数少ない友人に「なぁ、いつかコントをやろうぜ」と誘いをかけようと電話をした。最近はどうだと聞けば、彼

女の母親が今、ガン治療を続けるか緩和ケアに移るかの岐路にある
という。コントをやろうだなんてとても言えなかった。

　勝手に軽やかになっている自分が恥ずかしい。私は母親を失うこ
とを恐れていて、まだ志村けんを失ったことすらまともに受け入れ
られずにいるというのに。上から目線で励まして、あなたと私は違
うと言われるのが何より怖かった。こんなふうにパソコンに文字を
打ち込んで調子に乗ってエッセイもどきを書いていたって私の時給
は940円だし、国民年金は納付猶予を申請して絶望を先送りにす
ることでなんとか生きている。

　明日突然ツケが回ってくる可能性もゼロじゃない、絶望はすぐ後
ろ、志村うしろー！　かもしれない。はは。そんなことに彼女と話
してようやく気付いているのも間抜けだ。これを喜劇にするだけの
技量がないのが辛く、悔しい。どうせなら笑い合いたい。

最後に

　深夜に、友人と『ベン・ハー』並みに長い電話をした。嘘、ちょっと盛った。実際は『マッドマックス　怒りのデス・ロード』くらい。先日言えなかった「コントやろう」を言うことができた。ようやくそこまでたどり着けた。前はただ、そうだね、大変だね、つらいねと言うことしかできなかったから。良かった。心の底からの「大丈夫だよ」が少しは届いたような気がした。希望的観測かもしれないけど。「コントやろう」はつまり「一緒に舞台をやろう」であって、それは大変に重い信頼の言葉です、私にとって。

　その一日後に別の友人から手紙が届いた。こちらは友人というより、同胞に近い。私が体調もメンタルも崩して一方的に連絡を絶った、共に舞台に立つはずだった人だ。あれから２年が経った。夢に見るほど会って謝りたくて、でも合わす顔もないから未だこちらから連絡していない。時々こうして手紙をくれるたびに申し訳なくて情けなくて、それなのに嬉しくて私って最低だなと思う。手紙には「一緒に舞台をやろう」と書いてあった。「この２年間、思いが変わったことはない」マジかよ。

　木曜日、友人の母親が亡くなったと報せが届いた。動揺して泣いた。そんな、今日や明日でどうなるか分からないという状況だった

のか。考えてみればこの時節柄、毎日面会が許されていたのだから
そういうことだったのかもしれない。自分はなんて察しのわるい人
間なんだ、恥ずかしい。すぐに会いに行くことも出来ない。私は母
どころか祖母も亡くしていない。生まれてこの方、大事な人を亡く
した経験がない。そんな私に出来ることなんてあるんだろうか。

金曜日、その友人から LINE が来た。「案外大丈夫」と言っていた。
たくさん泣けているらしい。「コントやろうね」とさえ言ってくれた。
返す言葉が見当たらない。とにかく今は自分だけが頑張りすぎない
ように気を付けてほしいと伝えた。自分の心身の健康を一番に考え
て。

土曜日、『ギルバート・グレイプ』を観た。何年も前に録画した
ものを観よう観ようと思って後回しにしていたのを、なんとなく観
る気になった。
落ち着いてほしいと思うところにたどり着いてくれる脚本、かな
り良かった。芝居が上手いと思う隙もないほど、ジョニデもプリオ
も文句のつけようのない見事な演技（高校時代、レオナルド・ディ
カプリオのことを「プリオ」と呼ぶ友人がいて、以来私もプリオと
呼称している。発音はカツオと同じ）。懐かしさと閉塞感が同居す

る風景もよかった。煩わしい「家」という装置の効果。

　過食症の母と知的障害の弟をもつギルバート。ここ以外、どこへも行けない。トレーラー１台で旅をするベッキー。いつでも、どこへでも行ける。私がギルバートなら、ベッキーを妬んだかもしれない。なんで君はそんなに自由で、大きいのか。俺と違って。そんなこと思わないギルバートは私より全然良い奴だった。安心してね、君は十分いい人間だよ。

　家族って、多くの場面で足枷のように感じるじゃない。じゃあ外せば？　でも簡単に外せるものでもなく。愛なのか情なのか、執着、思い込みと言われたらそうなのかもしれないし。「分からないけど、戻ってきた」という台詞、無理がなくて良かった。

　母を見送った友人の、LINE 上の口ぶりはどこかさっぱりとしていた。あっさりじゃなくて、さっぱり。あくまでも文字だから、本当のところは分からないけど。今どうしているかな。喪失感はこれからじっくりとのしかかってくるものだろうか。何か、新しい景色が見えているといいなと思う。今度会った時、よく聞かせてほしい。

　これはもはやノートではなくて手紙ですね。

　自由とはもしかしたら、手に入れるというよりも気づくものなの

かもしれない。あれ、ここにあるじゃん、みたいな。なんでどこへも行けないと思っていたんだろう。気付いてしまえばなんてことない、なーんだ、僕ははじめっから自由だったんだ。でも気付けない時は気付けない、実際。あの苦しさを忘れないようにしたい。大したことなかったなんていう言葉で消化したくない、大したことないくせにと言われる筋合いもない、苦しかったし辛かったし消えてしまいたかった。近頃は意識的に「あれはしんどかった」と人に言うようにしている。それを恥ずかしいと思う自分に苦しめられてきたし、まだそういう自分からの視線を感じるけど、極力無視したい。

What's Eating Gilbert Grape. What's Eating me, or you.

　バイト先の本屋には連日発売日変更の知らせが届き、把握しきれない。出版社はきっと大変なんだろう。これが本当に出版されるかも分からない。だけどもし無事に本になったなら、手紙をくれた仲間に送り付けよう。ラジオ局に文字通り「送り付けた」ものを思いがけず受け取ってもらえてこんなところまで来たんだし。やっぱり受け取ってもらうためには、送り付けることからしか進めないような気がしている。そしたらまた、何にもできない、どこへも行けない自分から自由になれると思うし。できればいつか、一緒に舞台をやる未来にたどり着きたい。

『ギルバート・グレイプ』1993 年製作／監督：ラッセ・ハルストレム／アメリカ

おわりに　やっぱなしで

　昨日『最後に』なんてタイトルをつけて書いた文章を編集さんに
送った。あんまりいい出来とは思えなかったけど、とりあえず嘘は
ついていないし。一応これで本にする分の悔しみノートは終わり。
明日は何しよう、窓でも拭こうかなと思って寝たんだけど、朝起き
たらモヤモヤがとてつもなく大きく育って鬱々としてしまった。あ
んなんお前、よう送ったな。怒濤の自己嫌悪。よせばいいのに読み
返し、三行で挫折。ひどい。読めたもんじゃあない。

　これまでルーズリーフに殴り書きした悔しみノートでは、なんか
いい感じに書いて終わってしまわないよう、意図的に迷子になりそ
うな方向へ舵を切ったり、無計画に連想したりしていた。むしろそ
うしないと恥ずかしくて書いていられなかったから。しかし最近は
向き合う余裕が出てきたのか、書きなぐって読み返してうわーって
なるよりも、パソコンで納得いくまでぐずぐず書く方が楽で。なん
かそれが昨日は良くない方向に作用したらしい。加えてノート自体
を終わらせるにあたり、全部上手いこと消化して「おちこんだりも
したけれど、私はげんきです」でまとめようとしてしまった。あー。

　でも嘘じゃないのは確かだ。この先舞台にもう一度立てないこと
はないかなと思えているし、逃げ続けた仲間にもようやっと謝れる

んじゃないかというメンタルの回復と安定を感じる。希死念慮とも
ご無沙汰だ。そうだ、この間久々に、台詞を覚えないまま本番を迎
える夢を見たんですよ。おまけに衣装まで忘れていた。しかし驚く
べきことに、焦らなかった。以前は苛立って周りに当たり散らし、
半べそで飛び起きていたのに、呑気に靴下をはきながらぱらぱらと
台本をめくっていた。ほら、すごいでしょう。

　だがしかし。送られてきた手紙の「一緒に舞台をやろう」も「2
年間、思いが変わったことはない」というのも怖くて信じ切れずに
いるし、結局直接謝りにいけない自分の狡さから抜け出せずにいる。
口約束の「コントやろう」も、かえって彼女を苦しめることになる
のではないかと不安だ。相変わらず黙っておけばいいことを言わず
にいられない。うー。
　馬鹿正直に書くことで、誰に許されようとしているのか？　たぶ
ん私自身だ。
　変わりたい、ここから抜け出したい、認められたい。散々そう言っ
てきたのに一体何だっていうんだ。分からない、むかつくなあ、ぐ
だぐだしやがって。
　不自由さにアイデンティティを感じていたのか？　ラジオでノー
トを紹介してもらって、自意識でがんじがらめの自分に共感を得た

ことで嬉しくなって、しがみつきたくなっているのか。くっそー分からねぇ、両方あるんだ、自分らしくありたいのと健康でありたいのと。

　両立できるよ。言い聞かせたい、自分に。だって昨日の私も今日の私も一人の人間だもん。自分らしさって全部ひっくるめたところにあるから。分かってんだー正解は。空飛ぶ魔法を失ったキキは焦って自信も失って自己嫌悪に陥ったね。あれ、なんか私繰り返してないか、そのフェーズを。

　もう一度問おうか、What's Eating Gilbert Grape?　何がギルバート・グレイプをイラつかせるのか！
　感想を深めたくてレビューサイトを見たら、クソみたいな感想ばかりで腹が立ってしまった。君ら一体何を観たんだ、似たタイトルのパロディ作品か？　ギルバートが自由になったのは、彼を縛り続けていたものが物理的に失われたことだけが原因じゃない。そんな表層的なことじゃないんだよ。

　私の根本的な怒りは、よりよく生きたいがためにある。自分にも他人にも高すぎる理想を描いてしまう。痛みは分かるが、いつまでも感傷に耽っている奴は蹴飛ばしたくなる、自分も含めて。お前は

もう治っているだろうが！『ダンサー・イン・ザ・ダーク』にも激ギレした。前にも言った？

　優しい人になりたい。蹴飛ばさずに、背中をさすって抱きしめてやれる人になりたい。それだけで誰かを元気づけられたらいいのに。私が魅力的な人間なら、一発で救ってやれるのに。この苦悩を酒で流すなんてことは死んでもやらない。そもそも酒も飲めないし。うん。

　はて、なんの話だったでしょうか。つまりはまだイラつきたい、ということなんでしょうか。結局パソコンで書いても迷子になってんじゃん。だめだこりゃ！　脳内に映し出されるいかりや長介のアップ。

　考えたけど、このノートをどう終わらせたいかなんて分かんないわ。降参。だって私の人生まだ続いてるし、端から見れば何にも変わってないし。そもそも終わらせようと思って書いたのが間違いだったんだ。とりあえずみんな元気でね、とは思う。あと私の嫌いな奴が痛い目にあいますように。

　昨日『シコふんじゃった。』を観た。竹中直人のキレが抜群で妬ましい。
「下痢で勝っても勝ちは勝ち。人間、自信だ」という台詞がふいに

刺さる。

　大したことない、勘違いしない方がいいよ、と見知らぬ人にありがたいアドバイスを賜りもしたが、ゲリピーみたいな感情の殴り書きでも誰かしらの心にひっかかってくれたからこそ、名刺を持って会いに来てくれた人がいたんだろう。それは事実として数えよう。とびきりデカい飴を貰った。卑しくもぺろぺろ舐めながら頑張ろう。当分の間もつぞ。

　いい人になれる未来は遠そうだね。でも立ち上がれただけいいじゃない。次は誰かと手を握りたいね。これからも落ち込むけれど、どうにか生き抜きたいです。

（つづく）

『シコふんじゃった。』1991 年製作／監督：周防正行／日本

悔しみノート

令和2年9月10日　初版第1刷発行
令和2年9月30日　　　第2刷発行

著　者　梨うまい

カバー・本文デザイン・DTP　小松利光

カバー・本文イラスト　澁谷玲子

発行者　辻　浩明

発行所　祥伝社

〒101-8701
東京都千代田区神田神保町3-3
☎03(3265)2081(販売部)
☎03(3265)2080(編集部)
☎03(3265)3622(業務部)

印刷所　堀内印刷

製本所　積信堂